Bs As 26 September 1993

To: Dr. David Dubach and Carmen

From: FUNCEI Bs As.

Dear David:

Your visit was superb for our people.

Our deepest gratitude to you.

Sincerely

[illegible]

[illegible]

Buenos Aires desde el cielo

Buenos Aires from th[illegible]y

Hecho el depósito que marca la ley N. 11.723

Deposit effected as provided by Law N. 11.723

[illegible]rient[illegible] 2548 Piso 5° - Tel 953.5713

[illegible]4[illegible] [illegible]nos Aires - [illegible]

Télex: [illegible] [illegible]T AR - Fax. [illegible]5.5902

[illegible]50-9517-28[illegible]

BUENOS AIRES

desde el cielo / *from the sky*

"Buenos Aires nos impone
el deber terrible de la esperanza.
A todos nos impone un extraño amor,
el amor del secreto porvenir y
de su cara desconocida.

Jorge Luis Borges

Buenos Aires desde el cielo

Buenos Aires from the sky

Desde el aire
pudimos ver el rostro
de la ciudad esquiva
que supo resguardar su identidad
en un prejuicio gris
de brumas y azoteas.

Nombramos sin palabras
su ordenada geografía,
las burbujas verdes de los barrios,
los zaguanes invisibles.
Y detuvimos el sol
en un flechazo certero
entre el celaje.

De los huecos y las plazas
revelamos imágenes
y enhebramos
en agujas de otros tiempos
el hilo de una historia
toda nueva
desde el principio al fin,
para que fuera más nuestra
Buenos Aires
la ciudad que pisamos
sin reparar siquiera
que la calle de casa continúa
más allá del Riachuelo,
y el horizonte entero nos pertenece
y el río
y esas ganas
de encender
una luz más
en el inmenso tablero de la noche.

From the air
we could see the face
of the elusive city
which knew how to hide its identity
in a grey prejudice
of mists and terraces.

We named without words
its ordered geography,
the green bubbles of its districts,
the invisible passages.
And we held the sun
with a precise arrow
between the clouds.

From the hollows and the plazas
we revealed images
and threaded
in needles of other times
the thread of a history
all anew
from beginning to end,
for it to be more our
Buenos Aires
the city we step on
without noticing even
that our home street continues
beyond the Riachuelo,
and the entire horizon is ours to be
and the river
and that feeling
of lighting
one more light
in the vast keyboard of the night.

Manrique Zago

La torre del Concejo Deliberante se recorta sobre la edificación de la Diagonal Julio A. Roca. *Páginas siguientes: 8/9:* La Plaza Grand Bourg. *10/11:* La Plaza de Mayo, núcleo inicial de la historia de la ciudad. La Catedral, el Cabildo, la Casa de Gobierno y en el centro la Pirámide. *12/13:* Entre brumas, el eje industrial del Riachuelo, límite Sur de la ciudad. 14/15: El nudo de las autopistas urbanas que atraviesan la Avenida 9 de Julio frente a Plaza Constitución. Sobre el ángulo izquierdo, la Parroquia del Inmaculado Corazón de María. *18/19:* El encuentro del Riachuelo con el antiguo Puerto Madero. *20/21:* Entre los árboles, el Hipódromo Argentino y el Campo de Polo. Detrás, el Aeroparque Jorge Newbery. *22/23:* Torres de oficinas en la urbanización de Catalinas Norte. Amarrada en el estuario, la Fragata Libertad.

The tower of the City Council is cut out over the buildings on the Julio A. Roca Diagonal Avenue. Following pages: 8/9: *The Grand Boury Plaza.* 11/12: *The May Plaza, initial nucleus of the history of the City. The Cathedral, the Cabildo, the Government House and in the centre the Pyramid.* 12/13: *In the mist, the industrial axis of the Riachuelo, the Southern border of the City.* 14/15: *The knot of urban highways that cross the July 9 Avenue in front of Constitution Plaza. On the left hand angle the Parish of the Immaculate Heart of Mary.* 16/17: *The meeting of the Riachuelo with the old Madero Port.* 18/19: *Between the trees the Argentine Hippodrome and the Polo Field, behind the Jorge Newbery Air Park.* 20/21: *Office towers in the urbanization of Catalinas Norte. Tied up in the estuary the Libertad Frigate.*

BUENOS AIRES
desde el cielo / *from the sky*

Proyecto y dirección editorial / *Project and editorial direction*
Manrique Zago

Fotografia / *Photografics*
Agop Jack Tucmanian

Fotógrafos invitados / *Invited photographers*
Carlos Jorge Goldin, P. Palma Quintana,
Pedro Roth, Jorge Salatino, Manrique Zago

Coordinación general / *General coordination*
Fernando Alonso

Comité de asesoramiento y redacción / *Advisory and editing committee*
Fernando Alonso, Miguel Asencio, Horacio Ferrer,
Federico Garay, Jorge Gazaneo, Rafael E.J. Iglesia,
Rubén Kanalenstein, Alicia Novick, Mabel Scarone, Manrique Zago

Coordinación iconográfica / *Iconographic coordination*
Ricardo G. Parera

Relaciones empresarias / *Business relationships*
José Oscar Chiquetto, Néstor Ginart,
Amanda Varela

Versión inglesa / *English translation*
Harold Sinnott

Producción fotográfica / *Photographic production*
Nora Guerrero

Asesoramiento y producción gráfica / Advisory and photografic production
Carlo Legnazzi, Eva Legnazzi, Oscar Ortíz, Norberto Valdez

Manrique Zago Ediciones

Ezequiel Martínez Estrada

Desde el cielo
From the sky

Plaza Italia con el monumento a José Garibaldi, obra de Eugenio Maccagnani. Detrás, una visión panorámica del barrio de Palermo. Sobre la base, el Jardín Botánico, el Zoológico y la Sociedad Rural preanuncian los jardines de Palermo.

The Italian Plaza with the monument to José Garibaldi, a work by Eugenio Maccagnani. Behind, a panoramic view of the Palermo district. On the basis the Botanical Gardens, the Zoo and the Rural Society preannounce the Palermo gardens.

Para comprender y para interpretar a Buenos Aires; para captar con el intelecto y con los sentidos su forma informe y pujante, tal como se la percibiría palpándola, es indispensable llegar desde lejos (no desde fuera), por ejemplo, desde el fondo del país.

Desde 1.500 metros de altura sorprende en seguida que lo más parecido que hay a la ciudad es su plano. El plano es Buenos Aires visto desde 1.500 metros de altura hecho para hombres de buena vista, como el verdadero Buenos Aires a 1.500 metros de profundidad es su plano para uso de ciegos.

Admira comprobar cómo las indicaciones del plano corresponden a la realidad de la urbe, al menos en sus líneas gruesas, pues lo usual es que la realidad y la teoría marchen con una hora de diferencia. Si es muy fácil dibujar el plano de Buenos Aires debe de ser porque fue muy fácil hacer la ciudad, pues Buenos Aires no se hizo por sí, como casi todas las viejas ciudades que no sabían dibujo, sino que la trazaron y después se hizo.

La diferencia principal entre Buenos Aires y su plano es que Buenos Aires no tiene la periferia neta de éste, por lo que es mucho más simple de comprender que el plano. En el plano la ciudad se recorta del margen blanco de la tela, e ignoramos si efectivamente es una abstracción que tiene la pared por alrededores, o si está, en efecto, ligada a otras poblaciones. Pues más bien parece una isla. En la realidad se ve que empalma con las localidades suburbanas que se ha fagocitado en un macizo continuo; y que así se vincula, no sólo con las demás poblaciones, por sus líneas férreas y caminos, sino con la pampa y con el país.

La formación de Buenos Aires se ha producido por un movimiento centrípeto y no de expansión. Este es un punto de vista previo para todo examen de los problemas relacionados con él. Ha concluido por absorber y adherirse a las poblaciones circundantes, alcanzando su influjo hasta las más remotas, con las cuales está en todo sentido desconectado. Es la ciudad de la pampa y un mismo horóscopo rige a las dos. Ha tomado vida, se ha organizado la llanura. Un antiguo sueño, soñado por los buscadores de la Ciudad de los Césares, ha obrado el prodigio de que setenta mil hectáreas de pampa hayan cobrado existencia, aunque desde tan alto parezca deshabitada.

Se ve bien que Buenos Aires no sólo tiene la forma coordinada a la del país, sino que es la realización de lo que el país quiso ser: riqueza, seguridad, confort, densidad de población. Lo que quiso ser cuando sus deseos se pusieron al servicio de la necesidad.

Desde el cielo, Nueva York es una colmena de estalagmitas de mampuesto. Buenos Aires es llanura y cielo. Como a la pampa hay que mirarla desde abajo, porque sigue por el firmamento (y aun puede decirse que es más cielo que tierra), a la metrópoli hay que mirarla desde arriba (porque es más techos que paredes). El verdadero frente de Buenos Aires son sus techos, como en el plano. La ciudad es una techumbre inmensa y cuidadosamente cuadriculada, como si fuera un pavimento. Sobre el suelo se superpuso un piso, sobre éste otro, y así se forma el suelo edificado a semejanza de los pisos de la tierra pampeana. ◊

To understand and interpret Buenos Aires, to capture with the intellect and the senses its informal and vigorous shape, just as would be seen by handling it, it is indispensable to come from a distance (not from outside), for example from the depth of the country.

From 1,500 metres high, made for men with a good sight, like Buenos Aires itself, from a depth of 1,500 metres is its plan for use by the blind.

It is admirable to see how the indications of the plan correlate with the reality of the city, at least in its thick lines, because what is usual is that reality and theory go ahead with one hour difference. If it is very easy to draw the plan of Buenos Aires it must be because it was very easy to make the city, as Buenos Aires did not make itself such as all the old cities which knew nothing about drawing and therefore first drew it and then made it.

The main difference between Buenos Aires and its plan is that Buenos Aires does not have the same outline as the plan and therefore it is much easier to understand it than the plan. In the plan the city is cut out from the white margin of its cloth and we are ignorant if it is effectively linked with other towns. For in fact it looks more like an island. Actually it can be seen that it is connected with suburban localities, that it has absorbed a continual mass; and that it is thus linked not only with the other localities through its railway lines and roads but also with the pampas and the rest of the country.

The formation of Buenos Aires has come about through a centripetal movement and not through an expansion. This is a preview point for any examination of the problems related to it. It has concluded by absorbing and adhering to the localities around it, its influence extending even to the most remote localities with which it is in every sense disconnected. It is the city of the pampas and the same horoscope reigns over both. It has taken up life, organizing the plans. An old dream, dreamed by the searchers of the City of the Caesars, has carried out the prodigy that 70,000 hectares of pampa have taken on an existence although from so high it appears uninhabited.

It can be seen that Buenos Aires not only has the coordinated form of the country, but that it is also the realization of what the country wanted to be: wealth, security, comfort, population density. What it wanted to be when its desires were put at the service of need.

From the sky New York is a beehive of building stalagmites. Buenos Aires is plains and sky. As in the case of the pampas it has to be seen from below because it goes along the firmament (and even, one can say, it is more sky than earth), the metropolis has to be seen from above (because it is more roofs than walls). The true front of Buenos Aires is its roof just as in the plan. The city is an immense and carefully squared roof, as if it were a pavement. On the ground was placed one floor above this other and thus was formed the built ground similar to the floors of the pampas. ◊

olivetti

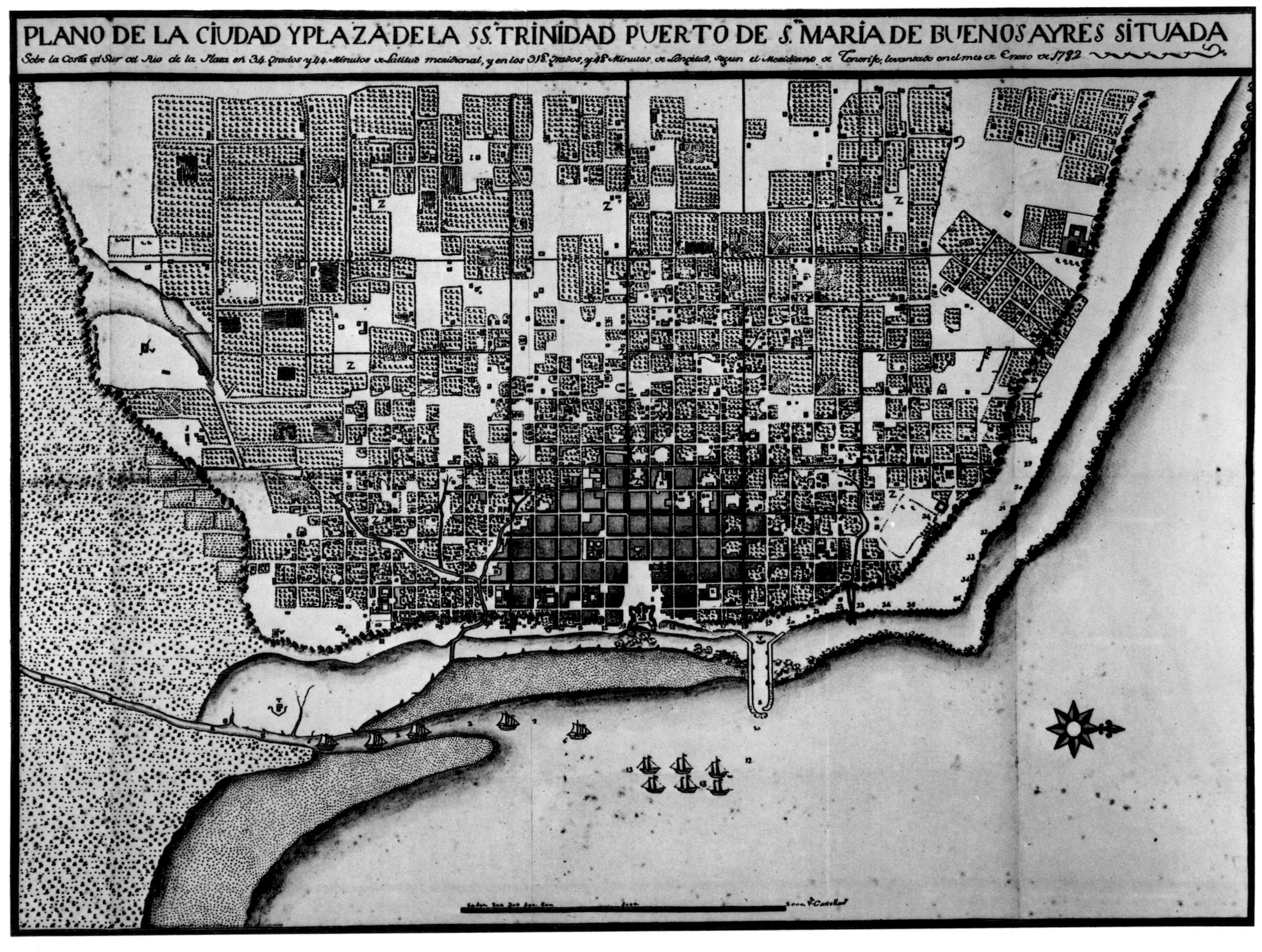
PLANO DE LA CIUDAD Y PLAZA DE LA SS.TRINIDAD PUERTO DE S.TA MARÍA DE BUENOS AYRES SITUADA
Sobre la Costa del Sur del Rio de la Plata en 34 Grados y 44 Minutos de Latitud meridional, y en los 318 Grados, y 48 Minutos de Longitud, segun el Meridiano de Tenerife, levantado en el mes de Enero de 1782

Miguel Asencio

Buenos Aires desde el tiempo

Buenos Aires from time

A la izquierda: Año 1883. Las vías sobreelevadas del tren de Ensenada dibujan los límites urbanos de aquel momento, en la foto de S. Rimathé. *Abajo:* Año 1782. "Plano de la Ciudad y Plaza de la Santísima Trinidad Puerto". *Páginas siguientes: 26/27:* Año 1864. La Aduana Nueva, construida en 1858, las torres de la Iglesia de San Ignacio, la Recova Vieja y el antiguo Teatro Colón.

On the left: *Year 1883. The race tracks of the train to Ensenada mark the urban limits of that time in the photo by S. Rimathé.* Below: *plan of the city and Holy Trinity Plaza. Year 1782. S. María de Buenos Aires port.* Following pages: 26/27: *Year 1864. The New Customs House constructed in 1858. Towers of the San Ignacio Church, the Old Recova and the old Colon Theatre.*

Desde el satélite, Buenos Aires parece abarcable. En la Plaza de Mayo nace una mancha tentacular de 35 km. que se expande hacia el Sur, el Norte, el Oeste... En el color y la textura del paisaje se intuyen el orden y el desorden, la marca de un pasado y la realidad del presente.

En sus orígenes, la ciudad fue sólo un plano bajo el brazo del fundador. La plaza, la cuadrícula infinita, son la trama secreta que omnipresente ya no vemos.

Durante dos siglos el plano se fue imprimiendo lentamente en el suelo. "El Fuerte y las iglesias son los únicos elementos que le dan aire de ciudad a esa aldea de barro", escribía un cronista en 1750. Ese paisaje de frentes interrumpidos por baldíos y cercos de tunas, de ranchos precarios y calles zigzagueantes, es una ciudad sin límites invadida por el campo. Sólo nos queda de la Ciudad de Indias la marca del Fuerte —más tarde Aduana, Casa de Gobierno—, la Plaza, un Cabildo mutilado y los antaño altos y visibles edificios religiosos paralelos a la costa sumergidos hoy por la "city". Y tres caminos de expansión hacia el Norte (Avda. Santa Fe), hacia el Sur (Avda. Montes de Oca) y hacia el Oeste (Avda. Rivadavia) para una ciudad con puerto de contrabando.

El panorama de aldea cambia a fines del XVIII. Maestros alarifes e ingenieros militares elevan los edificios públicos de la nueva Capital del Virreinato (1778). Se nombra un director de Obras Públicas para que alinee, pavimente e ilumine la ciudad. Cerrar los lotes sobre la vereda "es obligatorio" y las tapias reemplazan los tunales. Las casas virreinales abren a la calle las múltiples puertas de sus cuartos de alquiler y, apenas ornamentadas, indican la jerarquía de sus habitantes. No se trata de las míticas casonas amplias, de tres patios... Domina una amplia gama de viviendas mínimas —de uno o dos cuartos— construidas con paja, barro o cerámica. En 1776, cuando se abre el puerto al comercio con España, la ciudad tiene 32.000 almas.

Después de la emancipación (1810-1816), los primeros liberales imaginan la ciudad iluminista. Proponen para ella amplios límites territoriales, una avenida de circunvalación y otros ensanches que jerarquicen su monótona cuadrícula, obras que recién se concretarán hacia fines del siglo. Dictan extensas normativas urbanísticas que poco se cumplen, pero, con la vigilancia de los Departamentos de Ingenieros recientemente creados, las fachadas y las calles se ordenan. Rivadavia construye la Sala de Representantes y la Universidad. Nace así la "manzana de las luces", allí donde estuvieran los expulsados jesuitas. Frente a la plaza, la Catedral se viste con su nuevo pórtico neoclásico.

Hacia 1820 se decide mudar por razones de "higiene" los establecimientos insalubres. El Cementerio de la Recoleta y los mataderos de la actual Plaza Las Heras; los corrales del sur, detrás de la actual Plaza Constitución, van dibujando un suburbio donde dan trabajo a las "clases peligrosas". Esta primera organización de los arrabales prosigue entre el '30 y el '50, mientras ya se perfilan las futuras tendencias de la urbanización. En torno del puerto natural del Riachuelo, se radican en el Sur los precarios establecimientos

From the satellite Buenos Aires seems more cover full. In Plaza de Mayo there stems a tentacular stain which extends towards the South, the North and the West at a length of 35 kms. ... In the colour and texture of the scenery can be devised order and disorder, a shadow of the past and the reality of nowadays.

In its origins the city was only a plan under the arm of the founder. The plaza, the infinite cross ruling were the secret design which cannot be seen today.

During two centuries the plan was slowly laid out on the ground. "The Fort and the churches were the only elements which gave the air of a city to that city of mud," a journalist of 1750 wrote. This scenery of building fronts interspersed by empty lots and tuna fences, by precarious huts and zigzagging streets is an unlimited city overflown by open country. All that is left of the City of the Indians is the mark of the Fort.

The large village panorama changed towards the end of the 18th century. Building experts and military engineers rose the public buildings of the new Capital of the Viceroyalty (1778). A Director of Public Works was named to align, pave and illuminate the city. To close the empty lots giving on to the sidewalks became "obligatory" and the mudwalls replaced the tuna growths. The houses of the Viceroyalty opened their multiple doors of their rented rooms and, hardly ornamented, indicated the position of their inhabitants. It was not the case of mythical houses of three patios... it was all dominated by a large expanse of minimum housing —of one or two rooms— built with straw, mud or ceramics. In 1776, when the port was opened to trade with Spain, the city was inhabited by 32,000 people.

After the emancipation (1810-1816) the primitive liberals dreamt of a luminous city. For this they proposed ample territorial limits, an avenue circling the city and other broadenings that would give class to its monotonous square shape, work that would eventually be carried out towards the end of the century. They provided for extense urban norms of which few were carried out but, with the supervision of the engineering departments recently set up, the building fronts and streets took shape. Rivadavia built the Representatives Salon and the University. Thus was born the "square of the lights," where previously the later expelled Jesuits had been. In front of the plaza, the Cathedral is adorned with its neo-classic portico.

Around 1820 for "hygienic" reasons the unhealthy establishments were decided to be moved. The Recoleta Cemetery and the slaughterhouses of the current Las Heras Plaza, the Corrals of the South, behind the current Plaza Constitución railway terminal, gave rise to a suburb providing work for the "dangerous classes". This original organization of the suburbs continued between 1830 and 1850 whilst the future tendencies or urbanization began to grow. Around the area of the natural port of the Riachuelo River in the Southern area of the city the precarious industrial establishments took shape on the basis of cattle herds whilst in the North, near the Low Road, Rozas installed his dwelling among artificial lakes and gardens from which stemmed the Palermo

industriales que derivan de la ganadería mientras en el Norte, próximo al camino del Bajo, Rosas instala su caserón entre lagos artificiales y jardines que prenuncian los parques de Palermo y el rumbo de las residencias aristocráticas hacia las barrancas del Socorro. Los núcleos alejados de Flores, Belgrano y la Boca se van urbanizando en fragmentos que la topografía plana de la ciudad se encargará más tarde de suturar.

Entretanto, el casco urbano se densifica. "Catedral al Norte", en las inmediaciones del Consulado, es terreno de nuevas actividades: comerciantes ingleses e iglesia anglicana, hoteles, nuevas tipologías edilicias de frentes austeros y apenas dos pisos, con plantas bajas destinadas al comercio.

La ciudad llega así a la inflexión política de la mitad del siglo que, simbólicamente, quiere imprimirse en el escenario de la plaza. En la cabecera se demuele el Fuerte (1853) y se lo reemplaza por el hemiciclo de la Aduana de Taylor. Se construyen los efímeros edificios del Teatro Colón (1857), de la Bolsa de Comercio (1883) y de la Legislatura (1864).

En 1856, desde la Plaza del Parque (actual plaza Lavalle), "La Porteña" inicia su primer viaje en dirección al Oeste. Un año después, ya circulan entre el Retiro y la Plaza de Mayo los tranvías hipomóviles. Nuevas redes de edificios públicos, hospitales y escuelas de ostentosas fachadas, van equipando los barrios de casas bajas que se extienden más allá del casco urbano. El censo de 1869 abarca 20 barrios donde cuentan 177.787 personas. Ya habían llegado 92.158 inmigrantes extranjeros.

En 1880, la ciudad es designada Capital de la República y en 1888 se establecen sus fronteras definitivas con la traza de la futura Avenida General Paz. La polémica construcción del puerto, puerta de una impresionante y esperanzada masa inmigrante, enemista definitivamente a la ciudad con su río. Sobre las tierras que le son robadas se instala el "embudo del progreso": grúas y docks se rodean frontalmente de vías ferroviarias mientras las imponentes terminales del Retiro (1862), Constitución (1887) y Miserere (1883) inician el viaje hacia la colonización del interior. La terminal impone su mole en el Retiro sobre el Hotel de Inmigrantes y la Compañía de Gas (actual Plaza Britania). Más allá, en las residenciales barrancas, aún se dibujan en el horizonte las chimeneas de la cervecería y el edificio de la planta depuradora de aguas (hoy Bellas Artes). Las usinas termoeléctricas complementan hacia el Sur la línea industrial que asciende por el Riachuelo en dirección a los barrios obreros de Avellaneda, Barracas, Nueva Pompeya. En el Oeste, que es el centro y el eje de la ciudad, la urbanización continúa avanzando más allá de Miserere.

La ciudad burguesa socava entonces la Avenida de Mayo y los ensanches por fin ponen jerarquía en el colonial damero que "agranda las distancias, dificulta la circulación y es la negación de toda belleza edilicia". La imagen de París inspira a los porteños que quieren ejes perspectívicos para sus nuevos edificios de Estado; el Congreso, los Tribunales, el Teatro Colón...

En el centro comienzan a crecer las alturas edilicias mientras "aggiornados" reglamentos estimulan los despliegues estilísticos con el Premio de

Gardens and the eventual aristocratic residences near the slopes of the Socorro Church. The distant settlements of Flores, Belgrano and the Boca were being urbanized in fragments which the flat topography of the city would later stitch together.

Meanwhile, the urban district was becoming dense. "North of the Cathedral" in the vicinity of the Consulate was the scene of new activities: English tradesmen and an Anglican church, hotels, new building types with austere fronts and only two floors the lower used for shops.

The city thus arrived at the political inflection of mid-century which, symbolically, was reflected in the scene of the Plaza. In the main section the Fort was demolished (1853) and replaced by the hemi-cycle of Taylor's Customs House. The ephemerous buildings of the Colon Theatre (1854) the Stock Exchange 1883) and the Legislature (1864) were built.

In 1856 from the Park Plaza (currently Lavalle Plaza), "La Porteña" steam locomotive began its first trip towards the West. One year later horse drawn trams began circulating between Retiro area and Plaza de Mayo. New strings of public buildings, hospitals and schools with ostentatious fronts began decorating the areas of low houses that extended far beyond the urban area. The 1869 census covered 20 districts housing 177, 781 people. Already 92,158 foreign immigrants had arrived.

In 1880 the city was made Capital of the Republic and in 1888 its definite limitations were established with the plan of the future General Paz Avenue. The controversial building of the Port, the opening for an impressive and awaited mass of immigrants, definitely clashed the City with its River. On the lands taken from the river was installed the "funnel of progress"; cranes and docks surrounded by railway tracks while the imposing Terminals of Retiro (1862), Constitución (1887) and Miserere (1883) started their journeys towards the colonization of the interior. The Retiro Terminal imposed its construction over the Immigrants Hotel and the Gas Company (currently Britannia Plaza). Beyond, in the residential districts of slopes even now can be seen in the horizon the chimneys of the beer plant and the building of the water purifying plant (nowadays Beaux Arts) The thermo-electric plants extend towards the workmen districts of Avellaneda, Barracas and Nueva Pompeya. In the West, which is the center and the axis of the city, urbanization continued beyond the Miserere Plaza.

The bourgeois city was then crossed by Avenida de Mayo and its swellings which finally gave class to the colonial aspect thus "lengthening distances, making circulation difficult and ignoring all building beauty." The image of Paris inspired the porteños (natives of Buenos Aires) who wanted perspective centers for the new State buildings, Congress, the Law Courts, the Colón Theatre...

Building heights began to grow in the centre while updated regulations stimulated the stylish displays with Facade Prizes. The official and private Buildings of the Avenida de Mayo (May Avenue) set the tone: the Progress Club, the La Prensa newspaper, the large shops. Houses for rent and petit-hotels with ornamented fronts arose in the

Fachada. Las construcciones oficiales y privadas de la Avenida de Mayo dan el tono: el Club del Progreso, el diario *La Prensa*, las grandes tiendas. Casas de renta y petit-hoteles de frentes ornamentados se elevan en las avenidas. Pero el centro también es la sede de los conventillos, donde se hacina el 40% de los 950.891 habitantes, 427.850 extranjeros aún esperan su ciudadanía en 1904. Numerosos espacios verdes, que se agregan al de Palermo, recuerdan la lejanía del paisaje rural. Parques y plazas barriales ponen referencias, mientras la cuadrícula es rastrillada por una red de infraestructuras y de tranvías que cose los nuevos barrios. Perfiles quebrados de baldíos, huertas, viviendas precarias y consolidadas —casas de patio— van ocupando las manzanas en los estrechos loteos periféricos. Centro y barrios son el problema de las autoridades municipales que imaginan planes urbanísticos para resolverlo: el Plano de Bouvard (1909), el Plan de la Comisión de Estética Edilicia (1925), la Oficina de Urbanización (1932) intentan corregir los rumbos ingobernables de una ciudad expansiva y heterogénea.

Llega ahora una "segunda generación de rascacielos" del centro: al Palacio Güemes (1917), al Barolo y a su faro de la Avenida de Mayo (1922) se agregan el Comega (1930) y más tarde el Kavanagh (1935). La altura es el sinónimo de la modernidad. Se pretende recuperar el río desde los pisos altos construidos ante los jardines de Palermo o en los paseos de las costaneras recientemente remodeladas.

También llega la ostentosa apertura de la 9 de Julio, se inauguran las diagonales y el extraño Obelisco se implanta en un centro de bares automáticos, de cines y de carteles luminosos.

A partir del '30, la Capital detiene su crecimiento y la frontera habitada de los cordones industriales del suburbio comienza a expandirse. La frontera se dibuja claramente cuando en 1941 queda inaugurada la Avenida de Circunvalación. Entre el '45 y el '55 los barrios residenciales y los conjuntos habitacionales de casas bajas o bloques reciben el influjo del Estado y de sus políticas de crédito para la vivienda. Después del '60, junto con otros conjuntos —Lugano, Soldati—, comienzan los loteos salvajes sobre zonas inundables, donde barrios enteros de materiales provisorios comparten las orlas urbanizadas de la periferia con residencias parquizadas y quintas. (En 1960, la Capital es ocupada por 2.967.000 habitantes y los suburbios por 6.807.000; en 1980, el Gran Buenos Aires alcanza los 9.927.000 habitantes)

Con los años '70 llega el turno de los "countrys" y de los cementerios privados que se instalan sobre los cauces abiertos por las autopistas. La "cité d'affaires", imaginada en 1929 por Le Corbusier, gana en la Capital su derecho de ciudadanía instalándose en los márgenes de Catalinas Norte, junto a una nueva generación de bancos y sedes administrativas. ¡Al fin el sueño de la Manhattan porteña! Las torres exentas, palomares de lujo permitidos por el Código del '77 que sirven también para la vivienda, quiebran aún más los perfiles de las manzanas, que conservan testimonios de todas las épocas.

Sólo desde la altura es posible imaginar una unidad hecha de tantos fragmentos, de tantos estratos, de tantas ciudades. ◊

avenues. But the centre was also the location of tenement houses which included 40% of the 950,891 inhabitants, 427,850 foreigners were still awaiting citizenship in 1904.

Numerous green spaces added to the Palermo Park recalled the distance with rural areas. District parks and plazas provided references whilst the squares were crossed by a network of infrastructures and tramways which connected the various districts. Broken fronts of empty lots, orchards, precarious living quarters and consolidated houses —with patios— occupy the squares in the outer spaces. The centre and the districts were the problem of the municipal authorities who were imagining urban plans to solve them: the Bouvard Plan (1909), the Plan of the Committee of Building Aesthetics (1925), the Urbanization Office (1932), tried to correct the ungovernmental paths of an expansive and heterogeneous city.

A "second generation of skyscrapers" of the centre now arrived: to the Güemes Palace (1917), the Barolo and its beacon of Mayo Avenue (1922), were added the Comega building (1930) and later the Kavanagh building (1935). Height was the synonym of modernity. It was sought to recover the River from the high floors constructed in front of the Palermo Gardens or from the walking sites of the coastal avenue recently remodelled.

There also arose the ostentatious opening of the 9 de Julio (July 9) Avenue, the diagonal avenues were opened and the strange Obelisk was planted in the centre of automatic bars, of movie houses and luminous signs.

As from the 1930s the Capital stopped its growth and the inhabited frontier of industrial cordons of the suburbs began to expand. The frontier was clearly defined when in 1941 the surrounding avenue was inaugurated. Between 1945 and 1955 the residential districts and the living quarters of the low houses or blocks received the influence of the State and its credit policies for housing purposes. After 1960 various areas —Lugano, Soldati— saw the beginning of savage lots in floodable areas where whole districts of provisional materials shared the urbanized growth of the outlets with residential parkways and orchards. (In 1960 the Capital was occupied by 2,967,00 inhabitants and the suburbs by 6,807,000 inhabitants —in 1980 the inhabitants in Great Buenos Aires amounted to 9,927,000).

In the 1970s it was the turn of the country houses and of private cemeteries that were installed in the wide openings provided by the highways. The "cité d'affaires", imagined in 1929 by Le Corbusier, won in the Capital its right to citizenship by installing itself on the margins of the Catalinas Norte together with the new generation of banks and administrative offices.

Only from the air it is possible to imagine a unit made of so many fragments, of so many stratum, of so many cities. ◊

Ciudad plural. Ciudad que no es jamás la misma y cuya variedad, a quien la sabe, abisma.

Manuel Mujica Lainez

Año 1873. En "Cinco Esquinas", fachadas bajas, ventanas con rejas y patios interiores, rasgos típicos de las viviendas porteñas del s. XIX. *A la derecha:* El mismo lugar, actualmente.

Year 1873. "Five Corners", low fronts, windows with bars and interior patios, typical features of the porteño *households of the XIX century.* On the right: *The same place today.*

PEUGEOT

Rafael E.J. Iglesia

Buenos Aires: una y múltiple

Buenos Aires: one and many

Año 1900. Estación Retiro del F.C. Central Argentino desde la esquina de Avenida Alvear (hoy Libertador). *Abajo:* El mismo sitio, hoy. Detrás del frente de la terminal ferroviaria, sus estructuras de hierro se encienden con el sol del atardecer.

Year 1900. Retiro Station of the Central Argentine Railway from the corner of Alvear Avenue (today Libertador). Below: *The same sight today. Behind the front of the railway terminal its iron structures are brightened by the late afternoon sun.*

Partamos de dos supuestos (verdades o creencias): la ciudad-urbe vale más como espacio vivido/vivible, habitado/habitable, que como espacio material, extensión geométrica. Segundo: los poetas, imaginando la ciudad, dan cuenta del vivir/habitar ciudadano.

Leamos la ciudad en distintas lecturas. Lecturas que permitirán una mejor comprensión de nuestra ciudad.

Oh ciudad que me tienes anotado, / en la declaración de tus portones, / con antiguos faroles de alumbrado, / con calles recorridas, una a una (Horacio Rega Molina). *Palabras, Buenos Aires, te recorro en palabras* (Rafael Alberto Vásquez).

Buenos Aires es la otra calle, la que no pisé nunca, es el centro secreto de las manzanas, los patios últimos, es lo que las fachadas ocultan, es mi enemigo, si lo tengo, es la persona a la que le desagradan mis versos (a mí me desagradan también), es la modesta librería en que acaso entramos y que hemos olvidado, es esa racha de milonga silbada que no reconocemos y que nos toca, es lo que se ha perdido, y lo que será, es lo ulterior, lo ajeno, lo lateral, el barrio que no es tuyo ni mío, lo que ignoramos y queremos (Jorge Luis Borges).

Desde arriba, Buenos Aires es una, nítida a pesar de su difuso límite pampeano. Abajo, al nivel de cada ciudadano, es tan variada como cada uno de ellos.

Según Leopoldo Lugones *resume el universo,* según Romualdo Brughetti es *aluviónica. Monstruo policéfalo* para Alvaro Yunque, *Rostro imposible de abarcar por lo inmenso. Un rostro en continuo cambio que se embellece y se afea* para Rubén Cavadini. *Nadie se imagina lo que es Buenos Aires* (María Elena Walsh).

Seguramente una eidética porteña se logrará mirando alternativamente a la ciudad una, la urbe, y a la ciudad diversa, sus habitantes. A la urbe la enmarcan la pampa y el río.

La pampa "penetra en la ciudad y está presente en la urbe de una manera continua y persistente (...) Buenos Aires es la pampa cubierta de ciudad" (Escardó). Coincide Ezequiel Martínez Estrada: "Ciudad amplia y chata: pampa. Pampa de casas bajas...".

Desde esa pampa subyacente, la ciudad se lanza sobre la pampa inocupada y sus calles, las orilleras, *aquellas de más afuera, que fueron campo un día, se pierden en la honda visión / de cielo y de llanura* (Jorge Luis Borges).

Desquites de la pampa. El primero fue a mano de los indios que infortunaron a la ciudad de Don Pedro de Mendoza donde *La carne de hombre también / la comieron / las cosas que allí se vieron / no se han visto en escritura* (Fray Luis de Miranda).

Así se fundó Buenos Aires.

Ya sea en Palermo, *Una manzana entera, pero en mitá del campo,* según Borges, o en el Parque Lezama, según Mendoza, o en la Plaza de Mayo donde definitivamente Juan de Garay distribuyó a diestra y siniestra irrevocables estocadas. Así nació: *A orillas del Plata majestuosa* (J. Rivera Indarte). Ciudad que junto al río, *musculoso brazo derecho* (Alfonsina Storni), fue las "puertas de la tierra" que quería Garay.

Starting from two presumptions (truths or beliefs): The large city is worth more as a living/livable, dwelt/dwellable space, than as a material space, a geometric extension. Second: the poets, imagining the city, realize the living/livable citizen.

Let us read the city in different readings. Readings that will allow a better understanding of our city.

A city that has me registered in the declaration of its gates with old street lamps for illumination, with streets rerun one by one (Horacio Rega Molina).

Words, Buenos Aires, I travel through you in words (Rafael Alberto Vásquez).

Buenos Aires is another street which I never stepped on, it is a secret centre of the square, the last patio which the fronts hide, it is my enemy, if I have one, it is a person who dislikes my verses (I dislike them also), it is the modest bookshop in which perhaps we have entered and have forgotten, it is a part of a whistled milonga which we do not recognize but which touches us, it is that that is lost and which will be lost, it is the final part, of others, the lateral part, the district that is neither yours nor mine, that which we ignore and love (Jorge Luis Borges).

From above Buenos Aires is one, clear despite its diffuse pampa borders. Below, at the level of each citizen, it is as varied as each one of them.

According to Leopoldo Lugones it *summarizes the universe,* according to Romualdo Brughetti it is *alluvial.* A *many-headed monster* for Alvaro Yunque, A *Face impossible to embrace because of its size. A face under continual change that is beautified and uglified* for Rubén Cavadini. *Nobody can imagine what Buenos Aires is* (María Elena Walsh).

Surely a porteño contrast will be achieved by looking alternatively at the city itself and at the city diversified, its inhabitants. The city is marked by the pampas and the river.

The pampa "enters the city and is present in it in a continual and persistent manner (...) Buenos Aires is the pampa covered by a city" (Escardó). Ezequiel Martínez Estrada agrees: "A wide and flat city: pampa. A Pampa of low houses...".

From that underlying pampa, the city extends over the unoccupied pampa and its streets, the outlined streets, *those further out that once were open country, are lost in the deep vision / of sky and plains* (Jorge Luis Borges).

The revenge of the pampa. The first was in the hands of the Indians which plagued the city of don Pedro de Mendoza where *the flesh of men also // was eaten // the things that there were seen // have not been seen in writing* (Friar Luis de Miranda).

Buenos Aires was founded.

Whether in Palermo, *A whole square, but in the middle of the camp,* according to Borges, or in Lezama Park, according to Mendoza, or in Plaza de Mayo where definitely Juan de Garay launched / irrevocable stabs right and left.

Thus was born *On the borders of the majestic Plate* (J. Rivera Indarte). *A city which besides the river, a muscular right arm* (Alfonsina Storni), was the "doors of the land" sought by Garay.

Desde la cima del edificio Kavanagh: la torre donada por la comunidad británica en 1916. Sobre el costado izquierdo, la estación del Ferrocarril San Martín, en Retiro. Más atrás, la Terminal de Omnibus.

From the top of the Kavanagh building. The tower donated by the British Community in 1916. On the left side the station of the San Martin railway in Retiro. Furtherback the Omnibus Terminal.

Tan recto como el de la pampa era el horizonte del Río de la Plata: *Otros ríos hermosos / tienen varios colores, / tú, Río de la Plata, / tienes tu horizonte* (Alvaro Yunque).

La ciudad es una extensión donde "algo tiene lugar" o donde se presume que "algo puede tener lugar", algo humano, se entiende. No es "lugar de nada" o "lugar de nadie". Estos "tener lugar" califican los espacios, los caracterizan y producen anisotropías y heterogeneidades que no son totalmente propias del trazado geométrico de la consideración cartesiana de la mera "res extensa".

Buenos Aires creció y creció sin límites claros (en eso el racionalismo europeo anduvo bien), tuvo centro (marcado por la plaza mayor), orillas (siempre desplazándose) y barrios.

En Buenos Aires, orillas y arrabal casi quieren decir lo mismo. Además, arrabal y barrio devienen de la misma palabra árabe original, que significa "afueras".

Ciudad de afueras, afueras de la ciudad. Topológica corona circular que desconfía del centro.

Allí estuvieron las quintas que recordó Rafael Obligado con *granjas, pandorgas, niños, lecheros, carretas, mates y asado de cordero.*

Más tarde, el crecimiento de la ciudad fagocitó los pueblos de Flores y Belgrano (y luego otros más alejados, como San Martín y San Isidro) y fueron "orilla" sus pequeños centros pueblerinos.

Realmente estas orillas no fueron "afuera" de la ciudad, fueron, si no centro, interior. El afuera fue la pampa siempre vivida por los porteños como una vastedad conquistable, como un potencial terreno urbano.

Pasada la época de los hombres "de a caballo", la orilla fue lugar del tango. Sobre dónde nació el tango hay más dudas que certezas, pero una de las certezas es que no nació en el centro, sino en los lugares de "afuera". Hasta el punto que Saborido habla de Montevideo: *La cosa fue por el sur...*

José Portogalo difiere: *Dicen que fue en las calles / de la Boca o en Palermo; / otro, que en los Corrales, / la Batería o San Telmo. / Pero amigo, a mí se me hace / que el tango nació en el mismo / corazón de Buenos Aires.*

El otro Buenos Aires, metropolitano y progresista, fue entrevisto por Rivadavia y sobre todo por Sarmiento, quien lo opone a las campañas (barbarie). Torcuato de Alvear construyó conscientemente el paisaje de la metrópoli moderna, con demoliciones, grutas falsas y sobre todo con la Avenida de Mayo. A esta metrópolis le cantó Darío, llamándola *Cosmópolis: Se erizaron de chimeneas / los docks; a los puertos flamantes / llegaron músculos e ideas / que enviaban los pueblos distantes.*

El amor, ayudado por la necesidad poética, exageró al hablar de "cien barrios porteños". No hay cien barrios en Buenos Aires. Ni toda la extensión de la ciudad se constituye en barrios. Los que tienen nombres tradicionales tienen límites difusos. Lugones identifica algunos: Palermo, Belgrano, Retiro, Recoleta, Boca, Flores, Congreso y, casi como barrio, la Avenida de Mayo.

As straight as that of the pampa was the horizon of the River Plate: *Other beautiful rivers / have various colours, / you, River Plate, / have your horizon* (Alvaro Yunque).

The city is an extension where "something happens" or where it is presumed that "something can happen," something human it is understood. It is not "a place of nothing" or "a place of nobody". These produce anisotropics and heterogeneities that are not totally of the geometric tracing but yes of the cartesian consideration of the mere "res extensa".

Buenos Aires grew and grew without clear borders (in that the European rationalism continued), it had a centre (marked by the Major Plaza), edges (always extending) and districts.

In Buenos Aires, edges and outskirts almost always mean the same. Furthermore outskirts and districts derive from the same original Arab word which means "outskirts."

A city of outskirts, outskirt of the city. A topologic circular crown which distrusts the centre.

There were the country houses recalled by Rafael Obligado with *farms, fat women, children, dairymen, carts, mates and lamb roasts.*

Later the growth of the city embraced the towns of Flores and Belgrano and later on others more distant, like.

San Martín and San Isidro, and their small town centres became outskirts.

In reality these outskirts were not "outside" the city, they were if not its centre, its interior. Outside was the pampa always vivid for the Porteños as a vast conquest, as a potential city land.

Beyond the time of the men "on horse back," the outskirts were a place of the tango. On where the tango was born there are many doubts and statements, but one certainty is that it was not born in the centre but rather in the outskirts. Up to the point that Saborido speaks of Montevideo: *The thing was in the South...*
José Portogallo the first: *They say that in the streets / of the Boca or in Palermo; / another that in the Corrals, / the Batería or San Telmo, / But friend it occurs to me that the tango was born in the very / heart of Buenos Aires.*

The other Buenos Aires, the metropolitan and progressive part, was foreseen by Rivadavia and above all by Sarmiento, who contrasted it with the open country (barbarity). Torcuato de Alvear conscientiously built the scene of a modern metropolis with demolitions, false groves and above all with Mayo Avenue. To this metropolis and under the title of Cosmopolis, Darío sang: *Chimneys arose / to the docks, to the new ports / muscles and ideas arrived which were sent by distant people.*

Love, helped by poetic need, he exaggerated. There are not one hundred districts in Buenos Aires. Nor does all the extension of the city consist of districts. The ones that have traditional names have defused borders. Lugones identifies some: Palermo, Belgrano, Retiro, Recoleta, Boca, Flores, Congress and, almost as a district, Mayo Avenue.

Las aguas del Riachuelo se encuentran con el Río de la Plata.

The waters of the Riachuelo meet those of the River Plate.

Los barrios aparecen como lugares de vivir tranquilo y laborioso, con pobreza y humildad, pero no sin alegría. A veces la cosa se altera por encuentros sangrientos entre malevos o guapos. Pero esto era cosa de la noche. Rara vez un trabajador tranquilo se trenzaba con un compadre y esto sólo cuando era cuestión de honor o de polleras.

Al mencionar el Sur se implica a varios barrios (Sur, Oeste y Norte son las tres primeras divisiones imaginarias de la ciudad): San Telmo y Barracas, entre otros.

Homero Manzi centró el Sur en una esquina, la de *San Juan y Boedo antiguo* con todo el cielo, barro, pampa, alfalfa, paredón, zanjones, inundación, almacén, luna, beso, muerte y sueño.

Pero el Sur tiene otro centro: la Boca. *Barrio acriollado como los gorriones, con el agringamiento alerta de los hijos de italianos* (Ignacio B. Anzoátegui). Raúl González Tuñón recuerda a la Boca llena de *cafés con camareras*, tradición que se inició en cafés, bares y academias donde el tango comenzó a ser más escuchado que bailado.

La violencia coexiste con la paz.

Alberto Rodríguez Muñoz armó a Villa Crespo con tejedurías, fotografías de novias, mendigos, comparsas, cortejos, fogatas de San Pedro, árboles, pobreza, botas de conscripto, sartenes y cebollas fritas.

En el Once, Carlos de la Púa vivió un paraíso infantil de *rango y billarda, botones, gomeras y trompos, troyas y bolitas, dinentis con carozos de damasco.*

Belgrano está lleno de caserones de tejas y conserva algo de ser pueblo original. En su parte baja hay *jazmines y caballos, estrellas federales y paraísos, rosas damas y enredaderas* (Elba de Lóizaga).

Villa Ortúzar, amigos, / conversa con el sueño, alucina su rostro reunido entre las tapias, / en una calesita se anima con el mundo / volteando los labios con temblor de algazara (José Portogalo).

Lugano *es el rincón más lejos de la ciudad... / ...como uno de esos muchachos apocados, / que en una fiesta rica o en un concierto sabio / se están, la vista en el suelo y el sombrero en la / mano* (Salvador Merlino).

Villa Luro, complejidad de lo sencillo, / lacrimoso rasguear de las guitarras / en tus muchos velorios (Nicolás Olivari).

Retiro, para Ana Ibáñez, es *estación, andén, bullicio, dinámica, valijas, palomas* y desvanecida ya la presencia de la Batería, *amargura, indiferencia* y *automatismo.*

Dentro de los barrios se pueden reconocer sitios de menor escala, cuya experiencia es más directa, como la calle, la plaza, la esquina, la cuadra y la casa, esta última con sus propios lugares menores: las piezas, los patios. Me demoraré en la calle y en la esquina.

La calle es cantada insistentemente, se nos muestra como un lugar de intenso habitar. *Madre, no me digas: —hijo, quédate... / la calle me llama / y a la calle iré* (Baldomero Fernández Moreno).

The districts appear as places to live peacefully and laboriously, with poverty and humility, but not without joy. Sometimes circumstances change because of bloody fights between malefactors or bullies. But this was something of the night. A peaceful worker would seldom clash with a bully and this only when it was a question of honour or skirts.

When the South is mentioned it implies various districts (South, West and North are the first three divisions imagined of the city): San Telmo, and Barracas among others.

Homero Manzi centered the South in a corner, that of *San Juan Avenue and old Boedo* with all the sky, mud, pampa, alfalfa, walls, ditches, floods, groceries, moon, kiss, death and dreams.

But the South had another centre: the Boca. *A creole district like the sparrows, with the alert gringo style of the children of the Italians* (Ignacio B. Anzoategui). Raúl González Tuñón recalls the Boca full of *cafes with waitresses*, a tradition that was started in cafes, bars and academies where the tango began more to be heard than danced.

Violence coexisted with peace.

Alberto Rodríguez Muñoz filled Villa Crespo with sewing shops, brides photographies, beggars, fancy dress marches, processions, St. Peter bonfires, trees, poverty, boots of military service conscripts, pans and fried onions.

In the Once district Carlos de la Púa lived in an infantile paradise *of leapfrog and billiards, buttons, rubber soles and tops, troubles and marbles, games with apricot stones.*

Belgrano was full of tiled housings and maintains still part of its original being. In its lower part there are still *jasmins and horses poinsettias and paradise trees, rose plants and twiners* (Elba de Lóizaga).

Villa Ortúzar, friends, / speaks with the dream, / deluding its face mingled with the walls, / in a little merry-go-round it makes joy with the world / dropping the lips with a racket tremble (José Portogalo).

Lugano *is the furthest spot of the city... / ... like one of those impoverished boys, / who at a wealthy party or in a serious concert are there with their eyes on the floor and their hats in their hands* (Salvador Merlino).

Villa Luro, a complexity of what is simple, / tearful strumming of guitars / in its many wakes (Nicolás Olivari).

Retiro, for Ana Ibáñez, *is a station, a platform, dynamic rowdiness, bags, doves* and the presence of the Battery, *bitterness, indifference* and automatism.

Within the districts places of minor scale can be devised, the experience of which is more direct, like the street, the plaza, the street corner, the square block and the house, the latter with its own minor places: the rooms, the patios. *I shall await in the street on the corner.*

The street is sung insistently, one can see it as a place of intense living. *Mother, don't tell me: / —Son, remain... / The street calls me / and to the street I shall go* (Baldomero Fernández Moreno).

Borges was wealthy in the streets, he took them as *wounds opened in the sky* and living in them he consumed them: *the streets of Buenos Aires are already part of my being.*

La ciudad amanece envuelta en la bruma otoñal.

The City dawns envolved in an Autumn mist.

Borges fue rico en calles, las apuró como *heridas abiertas en el cielo* y habitándolas, las fagocitó: *las calles de Buenos Aires / ya son mi entraña.* Tan unidas a él que sus existencias interdependían: *Yo soy el único espectador de esta calle; / si dejara de verla se moriría.*

Para otros, las calles porteñas son terrible consecuencia de la cuadrícula original. *Fauces son tus calles, abiertas / a tus crepúsculos cuadriculados* (Nicolás Olivari).

La más larga es la calle Rivadavia, proyectándose hacia el *corazón del país.* Tan famosas como Rivadavia son la Avenida de Mayo, Corrientes y Florida. Florida, cuya *frivolidad amena* señaló Raúl González Tuñón. La elegante, exclusiva y orgullosa calle, ya no lo es tanto, es casi popular, con sus tiendas de baratijas importadas y vaqueros a la moda.

Cadícamo añoró *...la vieja calle Corrientes que ya no queda... / de cuando era angosta y la gente, / se mandaba el saludo / de vereda a vereda...*

Fuerte lugar urbano, la esquina es también un símbolo que antropólogos y esotéricos han intentado develar. El cruce perpendicular de dos líneas es centro, punto de equilibrio, de armonía, lugar de encuentro. Por allí pasa el *axis mundi*, pilar áureo, pilar celeste, árbol de hierro que une lo macro con lo micro. ¿Se unirá allí Buenos Aires con las esferas celestiales? ¿El porteño con el todo?

Escardó, asumiendo la igualdad esquina-Buenos Aires, se pregunta: *¿En qué esquina te encuentro? / Ya no sirve Corrientes y Esmeralda, / no están solos ni esperan los porteños, / seguro estoy de hallarte donde sea.*

Aldo Rossi acuñó el hermoso concepto de "objeto de afecto" para instrumentalizarlo en la construcción de la ciudad. En este sentido, en la poesía el afecto aparece con fuerza en las funciones expresivas del mensaje. La ciudad, que ha sido identificada con sus territorios y sus sitios, se asume como una sumatoria de vivencias, acciones y objetos.

Vivencias fuertes son el amor y el cariño. Aquí entran en acción los poetas. Los más duros, como amantes celosos, agreden. Ambiguo y contradictorio, Borges escribió: *No nos une el amor sino el espanto, / será por eso que la quiero tanto.* Alfonsina Storni sufre esta ciudad: *En semicírculo / se abre / la selva de casas: / una al lado de otra / unas detrás de otras, / unas encima de otras, / unas delante de otras / todas lejos de todas.*

Pero hay otros, los más, que sucumben ante la seducción de una ciudad tan avasallante. Todo comenzó con una admiración desencajada: *Calle Esparta, su virtud, / su grandeza, calle Roma. / ¡Silencio! que al orbe asoma / la gran Capital del Sud* (Vicente López y Planes), y con recuerdos románticos: *¡Adiós, compañeros de infancia feliz! / Amigos queridos, mi adiós es eterno. / ¡Adiós, Buenos Aires, mil veces y mil!* (Florencio Balcarce); *¡Oh, patria! ¡Oh, Buenos Aires! Oh, sueño de mi vida / como inmortal recuerdo reinas en mi memoria, / recorriendo los días de dicha promisoria / que en tu seno amoroso, Buenos Aires, pasé* (Bartolomé Mitre). A todo esto se sumó el orgullo: *¡Qué me importan los desaires / con que me trata la suerte! / Argentino hasta la muerte / he nacido en Buenos Aires* (Carlos Guido y Spano). ◊

So united to him that their existence were interdependent: *I am the only spectator of this street; / If I stopped seeing it I would die.* For others, the porteño streets are terrible consequences of the original grid. *Jaws are your streets, opened / to your grid sunsets* (Nicolás Olivari).

The longest is Rivadavia street, projecting itself to the heart of the country. As famous as Rivadavia are Mayo Avenue, Corrientes and Florida. Florida, the *joyful frivolity of which* was described by Raúl González Tuñón. The elegant, exclusive and proud street, is not so much any longer, it is almost popular with its shops of imported cheap things and fashionable jeans.

Cadícamo cried ... *old Corrientes street which is no longer... / as when it was narrow and the people, / would hurl greetings / from one sidewalk to the other...*

As strong urban place, the corners were also a symbol that anthropologists and esoterics have tried to reveal. The perpendicular crossing of two line is a centre, a point of equilibrium, of harmony, a place of meeting. There passes the *axis mundi*, a golden pillar, a light blue pillar, and iron tree which joins what is macro with what is micro. ¿Will Buenos Aires be joined there with the celestial spheres? ¿The porteño with the all?

Escardó, presuming the equality of a corner and Buenos Aires, asks: *On what corner shall I find you? / no longer are Corrientes and Esmeralda of use, / they are not alone nor do porteños await there, / I am sure to find you wherever it is.*

Aldo Rossi coined the beautiful concept of an "object of affection" to instrumentalize it in the construction of the city. In this sense in poetry affection appears with strength in the expressive function and in the message. The city, which has been identified with its territories and its places, is assumed as a summing up of experiences, actions and objects.

Strong experiences are love and care. Here the poets come into action. The hardest, as jealous lovers, become agressors. Ambiguous and contradictory, Borges wrote: *We are not united by love but by fear, / it might be for that that I love her so much.* Alfonsina Storni suffered this city: *In a semicircle / it opens / the jungle of houses: / one beside the other / some behind the others / some on top of the others, / some in front of the others / all far from the others.*

But there are others, the most, who succumb before seduction by such a dominating city. It all began with a contorted admiration: *Esparta Street, its virtue, / its greatness, Rome Street. / ¡Silence! Whoever to the orb approaches / the great Capital of the South* (Vicente López y Planes), and with romantic memories: *¡Goodbye companions of a happy infancy! / Dear friends, my goodbye is eternal. ¡Goodbye, Buenos Aires, goodbye a thousand times and a thousand!* (Florencio Balcarce); *¡Oh, fatherland! ¡Oh Buenos Aires! Oh, dream of my life / as an immortal reminder you reign in my memory, / recalling the days of promissory happiness / that in your loving breast, Buenos Aires, I passed* (Bartolomé Mitre). To all this was added pride: *What do I care of the rebuffs / with which luck treats me! / an Argentine until death / I was born in Buenos Aires* (Carlos Guido y Spano). ◊

La Estación Constitución y la autopista, entrada y salida de la Capital hacia el Sur. *A la derecha:* La Avenida Leandro N. Alem flanquea las siluetas de los rascacielos de Catalinas.

Constitution Station and the speedway, the Capital Southern entrance and exit. On the right: *Leandro N. Alem Avenue flanks the silhouettes of the Catalinas skyscrapers.*

Federico Garay

Extensión y densificación

Extension and densification

Desde la Reserva Ecológica, levantada sobre terrenos ganados al río, se divisa la ciudad. *Páginas siguientes: 42/43:* Año 1838. Vista de Buenos Aires, litografía de Pittaluga. *Abajo:* Cemento, verde y agua.

From the Ecological Reserve, built on land recovered from the river, the City is seen. Following pages: 42/43: *Year 1838. Buenos Aires view, lithography by Pittaluga.* Below: *Cement, green and water of the city.*

Desde tiempos remotos, los hombres construyeron torres o intentaron volar... Anhelaban comprender su realidad y buscaron otras perspectivas para lograrlo. Evidentemente, mirar la ciudad desde el cielo, más allá de la fascinación que ejercen las imágenes diferentes, invita a la reflexión sobre la complejidad del fenómeno urbano.

La ciudad es el soporte material de una estructura social, la huella de las culturas sobre el territorio, la impronta del trabajo humano. Porque es el trabajo lo que transforma el campo en ciudad y la ciudad en las múltiples ciudades que nacen y se superponen en el mismo sitio a través de la historia.

Tiempo y espacio, son las dos dimensiones de la mancha urbana que en un complejo proceso se extiende y se densifica. Las fotografías aéreas dan algunos indicios de esos cambios. Por un lado, en sus mutaciones, la trama urbana va incluyendo paulatinamente las parcelas rurales. Por el otro, dentro de zonas de baja densidad, se van perfilando los edificios en altura. En el conurbano de Buenos Aires, extensión y densificación siguen senderos paralelos. Las antiguas cabeceras municipales son los primeros núcleos "altos" que aparecen cuando el área urbanizada las fagocita.

Múltiples tipologías arquitectónicas testimonian los tiempos y las características de esos procesos que van conformando los barrios y los suburbios de la ciudad.

La matriz original de Buenos Aires partió de un esquema muy simple, el damero, que permitió distribuir el espacio público y privado. Sin embargo, la organización de los espacios rurales adoptó otra geometría, la de parcelas largas y angostas trazadas desde los cursos fluviales. La posterior subdivisión del espacio rural reprodujo en los loteos el damero. Apenas algunos barrios porteños: Parque Chas, Palermo Viejo, Parque Saavedra, los grandes conjuntos habitacionales, etc., dibujaron propuestas alternativas que alteraron puntualmente la regularidad de la cuadrícula.

A fines del siglo pasado, Buenos Aires experimentó sus grandes transformaciones. El ferrocarril trazó los ejes de los futuros tentáculos, en tanto el tranvía permitió la formación de un inmenso suburbio que la expandió más allá de sus límites administrativos.

Como expresión de progreso se rompe la trama originaria abriendo la Avenida de Mayo, donde se elevan los edificios más elegantes de la ciudad. La construcción del puerto y las terminales de ferrocarril, más tarde; la apertura de las diagonales y la 9 de Julio, y la remodelación de plazas van consolidando las nuevas funciones que cambian el casco urbano primitivo.

También en los suburbios se van constituyendo centros en los sitios de mayor antigüedad y tradición, como aquellos de San Isidro, Morón, Quilmes o Lomas de Zamora. Allí se condensan valores patrimoniales históricos e inmensas potencialidades para el cambio, claves para la existencia de un sistema de centros y subcentros que suscita numerosas reflexiones urbanísticas.

Since ancient times, men built towers or tried to fly... They wanted to understand their reality and sought other perspectives to achieve it. Evidently to see the city from the sky beyond the fascination stemming from the different images spurrs reflection on the complexity of the urban phenomena.

The city is the material support of a social structure, the track of culture on the territory, the impression of human labour. Because it is the work which transforms the country into a city and the city into the multiple cities that are born and developed in the same place throughout history.

Time and space are the two dimensions of the urban stain which is a complex process that extends itself and becomes dense. Aerial photographs give some indication of those changes. On the one hand in their mutations the urban picture keeps on slowly including the rural plots. On the other hand in areas lowly dense take shape with buildings and their heights. In suburban Buenos Aires extension and density follow parallel paths. The old municipal headquarters are the first "high" nucleus that appear when the urban area surrounds them.

Multiple architectural typologies reflect the times and the features of those processes that give shape to the districts and the suburbs of a city.

The original matrix of Buenos Aires stemmed from a very simple scheme, a dart board that allowed public and private space to be distributed. The organization of rural spaces, however, adopted another geometry, that of long and narrow parcels stemming from the river courses. The subsequent subdivision of rural spaces reproduced the dart board in the lots. Only some porteño districts —Chas Park, Old Palermo, Saavedra Park, the great residential areas— sketched alternative proposals which punctually altered the regularity of the blocks.

Towards the end of the last century Buenos Aires experienced its great transformations. The railways drew the axis of the forthcoming tentacles while the tramways spurred the formation of immense suburbs which expanded it beyond its administrative borders.

As an expression of progress the original tracing was broken with the opening of Mayo Avenue where the most elegant buildings of the city were built. The construction of the Port and the Railway terminals and later the construction of the diagonal avenues as well as the 9 de Julio Avenue, the remodelling of plazas consolidated the new functions which changed the scheme of the primitive city.

Also in the suburbs centres took shape in the oldest and traditional spots, such as San Isidro, Morón, Quilmes or Lomas de Zamora. There were condensed patrimonial historical values and wide potentialities for change, keys for the existence of a system of centres and sub centres from which numerous urban reflections emerged.

The paths of the routes and transport networks guided the lines of expansion and renewal, originating urban corridors which from a commercial and residential point of view conform the skeleton of the city.

El recorrido de las rutas y redes de transporte guía las líneas de expansión y renovación, originando corredores urbanos que en lo comercial y habitacional constituyen el esqueleto de la ciudad.

Centro, subcentros, corredores estructuran barrios diferentes, bajos y altos, viejos y nuevos, de casas con jardín, de edificios en altura, que expresan indudablemente los múltiples modos de vivir que permite Buenos Aires.

Hoy, una nueva generación de intervenciones urbanísticas se propone para Buenos Aires. Se construyen centros comerciales, hoteles, edificios de oficinas que signan el paisaje urbano.

Se proyectan grandes obras, como la urbanización del Puerto Madero, la

Centre, sub centres, corridors shaped different districts, high and low, old and new, of houses with gardens, of high buildings, which undoubtedly express the multiple means of living allowed by Buenos Aires.

Nowadays a new generation of urban development is proposed for Buenos Aires. Commercial centres, hotels, office buildings outline the urban picture. Great works are proposed, such as the urbanization of the Madero Port district, the restructuring of Mayo Avenue, which will once more change the aspects of the city.

rehabilitación de la Avenida de Mayo que transformarán, una vez más, los espacios porteños.

La ciudad, soporte material de una estructura social, condensa múltiples dimensiones.

En ella, actores sociales con intereses, capacidades y concepciones diferentes se contraponen, se yuxtaponen o se asocian para modificar el ámbito construido.

Se gesta así la trama de relaciones sociales que a lo largo del tiempo constituyeron esa Buenos Aires que hoy se sobrevuela y que desde siempre se quiso comprender. ◊

The city, a material support of a social structure, includes many dimensions. In it social actors with different interests, capacities and conceptions are counterproposed, juxtaposed or associated to change the built up structure. Thus is formed the network of social relationships which throughout time shaped Buenos Aires as it is today when overflown and which always wanted to be understood. ◊

"Nuestra Plaza de Mayo - la plaza del cabildo secular y de la modesta pirámide, la plaza de los ejércitos que regresan y de las decisiones civiles - es de todos los puntos del continente el más dulcificado y macerado por la costumbre humana. La historia de esa Plaza - y la de la ciudad más o menos sórdida que se fue estirando a su alrededor - es la historia argentina."

Jorge Luis Borges

Desde lo alto del Concejo Deliberante se divisan el Palacio Municipal, la Catedral, la nueva Curia Metropolitana. Al pie, la torre del Cabildo. *A la derecha:* C. 1880. Desde lo alto del Cabildo, así se veían la Catedral, la Curia, el Teatro Colón y la Recova Vieja.

From on top of the City Council can be seen the Municipal Palace, the Cathedral, the new metropolitan Curia. At the bottom the tower of the Cabildo. On the right: *C. 1880. From on top of the Cabildo the Cathedral, the Curia, the Colon Theatre and the Old Recova were seen thus.*

Plaza de Mayo

May Square

"... una gran plaza pública, bastante torpemente decorada, limitada por el lado del río por una gran construcción italiana, llamada Casa Rosada, donde residen ministros y presidentes...". Así describía nuestra plaza, en 1910, el francés Clemenceau. Lo de "torpemente decorada" debe haber exasperado a más de un hombre ilustre, pues en la plaza siempre se quiso lucir las mejores galas, las más simbólicas.

El espacio del poder político se implantó desde la fundación frente al río. El Fuerte, demolido en 1853, dejó su lugar en el bajo de la barranca al hemiciclo de la Aduana, cuando las luchas políticas se polarizaban sobre las rentas del puerto. Más tarde, a partir de edificios ya existentes (el Correo, la Casa de Gobierno) se arma "esa gran construcción italiana" de la que nos habla Clemenceau, desde cuya "loggia" —el balcón— la autoridad escucha a la población.

En frente, hacia el Este, ancló el gobierno de los vecinos. El Cabildo construido por el jesuita Blanqui en 1775, mutilado y restaurado tantas veces, contrasta, avenida de por medio, con el "Château" —en sentido kafkiano— Municipal (1891). A la vuelta, otro edificio comunal, el Concejo Deliberante. La torre del Cabildo, la torre de la Sala de Representantes y la cúpula del Municipio trazan la silueta vecinal en el horizonte de la plaza.

La Catedral que vemos hoy se construye en el frente norte en 1775, pero su cara —la fachada neoclásica de Catelin y Benoît— data de 1822. La manzana contigua es ocupada por edificios de efímera duración como el Teatro Colón (1857) y la Bolsa de Comercio (1883), hasta que en 1941 se instala allí el Banco de la Nación, del arquitecto Bustillo. Actividades prestigiosas y poder económico disputaron allí una localización privilegiada.

El Banco Hipotecario (1947) y el Ministerio de Economía (1940) sustituyen muy tardíamente las vetustas casas del frente Sur, encapsulando la antigua Legislatura (1864).

Vistos desde arriba, sus límites de fundación se perfilan intactos. Ella, como Buenos Aires, negó también el río. Los ejes irradiantes de Alvear —la brecha de la Avenida de Mayo, y más tarde las diagonales— fueron espejos de profundidad ilusoria, ya que apenas le hicieron abrazar un centro más extendido. Tampoco se materializaron las propuestas de la década del '20 que intentaron abrirla hacia la costa. Pero la plaza, en sus múltiples mutaciones, encerrada sobre sí misma, sigue presidiendo la ciudad. ◊

"... A great public square, somewhat stupidly decorated, limited on the riverside by a big Italian construction, called Casa Rosada (Pink House), where Ministers and Presidents reside... ." Thus in 1910 our Plaza was described by Frenchman Clemenceau. That of "stupidly decorated" must have exasperated more than one outstanding figure because it was always sought to show the best and most symbolical decorations in the Plaza.

The space of political power began during its foundation in front of the River. The Fort, demolished in 1853, left its space at the foot of the hill to the hemicycle of the Customs House when political struggles became centered over the income of the port. Later, stemming from existing buildings (the Post Office, Government House) was built "that great Italian construction" of which Clemenceau speaks, and from which its "loggia" —the balcony— the authorities listened to the population.

In front, looking Eastward, the Government of the neighbours became anchored. The Cabildo (Town Hall), built by the Jesuit Blanqui in 1775, oftened mutilated and restored, contrasts, beyond the avenue, with the Municipal "Chateau" —in a Kafkian sense— (1891). Behind it, another communal building, the City Council. The tower of the Cabildo, the tower of the City Council and the Cupola of the Municipality draw the neighbourhood silhouette on the horizon of the Plaza.

The Cathedral which we see today was built on the North front in 1775 but its front —the neo-classic front by Catelin and Benoit— dates from 1822. The neighbouring square was occupied by short lived buildings such as the Colón Theatre (1857) and the Stock Exchange (1883), until in 1941 the Banco de la Nación (Bank of the Nation) was installed there by Architect Bustillo. Prestigious activities and economic power struggled there for privileged location.

The Banco Hipotecario (Mortgage Bank) (1947) and the Economy Ministry (1940) very lately replaced the old houses of the Southern Front covering the old Legislature (1864).

Seen from above the outline of its foundation appeared intact. Like Buenos Aires it also rejected the river. The radiant axes of Alvear Avenue, the breach of Mayo Avenue and later the diagonal avenues, were deep illusory mirrors as they hardly covered a more extended centre. Neither did the proposals of the 1920s which tried to open them to the coast materialized. But the Plaza in its multiple changes enclosed above it still presides over the City. ◊

Año 1841. Fiestas mayas en la Plaza Mayor, litografía de Carlos E. Pellegrini. *Abajo:* Año 1900. Hacia la Avenida de Mayo, fotografía de J. Bourquin. *A la derecha:* El tridente porteño formado por la Avenida de Mayo y las diagonales Roque Sáenz Peña y Julio A. Roca, converge sobre la histórica plaza.

Year 1841. The May festivals in the Major Plaza, lithography by Carlos E. Pellegrini. Below: *Year 1900. Towards May Avenue, photograph by J. Bourquin.* On the right: *The* porteño *trident formed by May Avenue and Roque Saenz Peña and Julio A. Roca Diagonals converge on the historical plaza.*

La Pirámide, en el centro del trazado de la Plaza de Mayo, dibuja un eje con el monumento a Colón, realizado por Arnaldo Zocchi, sobre el terreno que ocupara el demolido hemiciclo de la Aduana Nueva.

The Pyramid in the centre of the tracing of May Plaza, draws an axis with the monument to Columbus made by Arnaldo Zocchi on the terrain previously occupied by the demolished hemicycle of the New Customs House.

La imagen del Banco de la Nación, que sustituyó las antiguas construcciones del Teatro Colón y de la Bolsa de Comercio. Se destaca la amplia cúpula que cubre el salón central. *Páginas siguientes: 50:* En las primeras horas de una mañana invernal, el monumento a Colón, donado por la colectividad italiana. Como telón de fondo, la fachada Este de la Casa de Gobierno. Entre sombras, el eje de la Avenida de Mayo que culmina en el Congreso. *51:* En la silueta de la Casa de Gobierno se distinguen dos edificios unificados en 1908 por el arquitecto Francisco Tamburini. El grupo escultórico indica el eje del arco de acceso. *52/53:* La traza de las avenidas Leandro N. Alem y Paseo Colón se interrumpe ante las excavaciones arqueológicas de lo que fuera la Aduana Nueva.

The image of the Bank of the Nation that substituted the old buildings of the Colon Theatre and the Stock Exchange. Outstanding is the wide cupola that covers the central hall. Following pages: *50: In the early hours of a Winter morning the monument to Columbus, donated by the Italian community. As a back curtain the Eastern front of the Government House. In shadows the axis of May Avenue that leads to Congress.* 51: *In the silhouette of the Government House two buildings can be seen united in 1908 by architect Francesco Tamburini. The sculpture group shows the axis of the ingoing arch.* 52/53: *The tracings of Leandro N. Alem and Paseo Colon Avenues are interrupted by the archeological excavations of what once was the New Customs House.*

BANCO NACIONAL DE DESARROLLO

Dibujo del edificio donde funcionó el diario "La Prensa". *A la derecha:* El eje monumental de la Avenida de Mayo culmina en el conjunto de la Plaza del Congreso. Hacia el Oeste se extiende la Avenida Rivadavia. Páginas siguientes: *56/57:* Año 1934. El Graff Zeppelin vuela por encima del Pasaje Barolo y las cúpulas de la Avenida de Mayo. *58/59:* Las torres Galicia, el Barolo, la Inmobiliaria en la Gran Vía porteña. *60/61:* El Palacio Legislativo preside la gran plaza, cuyo Monumento a los Dos Congresos fue realizado en 1914 por J. Lagae y N. D'Huicque. En el ángulo izquierdo, el volumen vidriado de la ampliación del Congreso. Más arriba, la cúpula de Nuestra Señora de la Piedad.

A drawing of the building where the newspaper La Prensa *operated.* On the right: *the monumental axis of the May Avenue ends at the Congress Plaza complex. Westward Rivadavia Avenue extends.* Following pages: 56/57: *Year 1934 and today. The Graff Zeppelin flies over Barolo Passage and the cupolas of May Avenue.* 58/59: *The Galicia and Barolo towers, the Real State of the* porteño *Grand Avenue.* 60/61: *the Legislative Palace presides over the huge plaza where the Monument to the Two Congresses was made in 1914 by J. Lagae and N. D'Huicque. On the left side angle the glass volume of the extension of Congress. Further up the cupola of Our Lady of Pity.*

Plaza Congreso y la Avenida de Mayo

Congress Plaza and Mayo Avenue

Alicia Novick

"El palacio del Congreso es una mezcla, conteniendo ensalada italiana e ingredientes griegos, romanos y franceses. Se tomó la columnata del Louvre, encima le colocaron el Partenón, sobre el Partenón lograron ubicar el Panteón y finalmente espolvorearon la torta con alegorías, estatuas y terrazas..." Así, describía Anatole France nuestro Congreso. Scardin no coincidía con esas apreciaciones y rescataba los valores del edificio: "De líneas severas y puras en que se nota el aprovechamiento de los caracteres más sobresalientes de los estilos griegos y romanos, será la expresión más sincera del arte arquitectural moderno".

El repudiado y amado eclecticismo era en nuestro medio una forma de la modernidad. La generación que impulsó las transformaciones de la ciudad y la apertura de la avenida entre la plaza y el Congreso se sentía moderna. Y debe haber leído con placer los textos de Clemenceau: "Una gran ciudad europea ... la Capital del continente... La Avenida de Mayo, tan ancha como nuestros mejores bulevares, se parece a Oxford Street por los aspectos de los escaparates y la decoración de los edificios".

La polémica avenida, cuya apertura se aprueba en 1886 y se concluye en 1898, materializa el viejo sueño de romper la cuadrícula de Indias. Ante ella es posible elevarse y las viviendas, los bancos, las grandes tiendas pueden poner en perspectiva sus nuevos estilos... Art-nouveau, secesión vienesa, atisbos catalanes se suceden a lo largo de las doce cuadras en una armónica heterogeneidad. El faro del pasaje Barolo proyectará su sombra en 1922 sobre las anchas veredas de los cafés, donde los parroquianos conversan y los habitantes de los barrios vienen a pasear.

La Avenida 9 de Julio la separa en dos partes. Demoliciones, baldíos, incendios fueron desdibujando sus continuidades. Las torres de Pérez Companc y SEPRA son gigantes solitarios que no dialogan con ella. Una esquina de la Plaza Congreso intenta un contextualismo posmoderno en una calle donde los carnavales son cada vez más tristes.

En 1990, se emprende la rehabilitación de la avenida. Para poder recuperar, más allá de las escenográficas fachadas, el impulso vital de sus paseos y la polémica creatividad modernista de sus orígenes.

"The Palace of Congress is a mixture containing Italian salad and Greek Roman and French ingredients. Taken into account were the Louvre Colonnades on top of which was placed the Parthenon and on this they managed to put the Pantheon and finally they powdered the cake with allegories, statues and terraces..." This was the description given by Anatole France to our Congress. Scardin did not agree with these criticisms and would recover the values of the building: "of severe and pure lines in which is noted the advantage taken of the most outstanding characteristics of the Greek and Roman styles, it will be the most sincere expression of modern architectural art."

The repudiated and loved eclecticism was among us a form of modernism. The generation that promoted the transformations of the city and the opening of the Avenue between the Plaza and Congress felt itself modern. And they must have read with pleasure the texts of Clemenceau: "A great European city ... The Capital of the Continent ... The Mayo Avenue, so wide as our best boulevards is like Oxford Street because of the aspects of the scenery and the decorations of the buildings."

The polemic Avenue, the opening of which was approved in 1886 and it was concluded in 1898, materialized the old dream of breaking the Indian square. Before it it is possible to rise and the housings, the banks, the great stores can put in perspective their new styles ... Art-Nouveau, Viennese Secessions, Catalan signs, succeed each other along the 12 blocks of an harmonic heterogeneity. The beacon of Barolo Passage would project its shade in 1922 on the wide sidewalks of the Cafes where clients talked and the residents of the districts go to walk.

The 9 de Julio Avenue separates it in two. Demolitions, empty lots, fires began to break up its continuity. The towers of Perez Companc and SEPRA are solitary giants that don't speak with the rest. A corner of Congress Plaza attempts a post modern contextualism in a street in which Carnival is ever more and more sad.

In 1990 the rehabilitation of the Avenue was attempted. To can recover beyond the scenographic fronts the vital impulse of its promenades and the polemic modernistic creativity of its origins.

CINZANO

La cúpula del Congreso Nacional, enmarcada por los frentes de los edificios de los mil doscientos metros de la Avenida de Mayo, da lugar a una magnífica perspectiva, un cuadro urbano de fuerte impacto, una de las más bellas de la ciudad.

Especialmente al atardecer, cuando el cielo se torna rojizo, surge imponente esta bella y gallarda cúpula, obra de Víctor Meano, como una ofrenda a la ciudad.

Federico Ortiz

Año 1905. El edificio del Congreso, en construcción. *A la derecha:* La cúpula, hoy.

Year 1905. The Congress building under construction. On the right: *the cupola today.*

Horacio Ferrer

Nocturno a Buenos Aires
Nocturne to Buenos Aires

Desde la cúspide del Obelisco, sobre la Avenida 9 de Julio se identifica la silueta del edificio de Obras Públicas. *Páginas siguientes: 66/67 :* La Plaza de la República marca la intersección de la Avenida Corrientes, la Avenida 9 de Julio y la Diagonal Roque Sáenz Peña que a su vez culmina en el Palacio de los Tribunales. *68/69:* La Avenida 9 de Julio, caracterizada simbólicamente por el Obelisco, vincula las estaciones Retiro, al Norte y Constitución, al Sur.

From the top of the Obelisk on July 9 Avenue can be seen the silhouette of the Public Works building. Following pages: 66/67: *The Republic Plaza marks the intersection of Corrientes Avenue, the July 9 Avenue and the Roque Saenz Peña Diagonal wich in turn ends at the Law Courts.* 68/69: *The July 9 Avenue symbolically marked by the Obelisk, connects the Retiro station on the North and Constitution station on the South.*

La Cruz del Sur me da en su luz, lugar,
y aquí amaré a la Buenos Aires mía
que está arrancándose la piel solar
y va desnuda, vestida de poesía
con portaligas. Se toma su dosis
de clorhidrato de melancolía;
en brevísima hipnosis
emociona al asfalto
y una galaxia en tierra cae de bruces
en templos y parrillas y carteles
y más fuegos y luces
en cada ventanita iluminada,
fuego tenor, barítono y contralto,
fuego cabaretero y hogareño
que quema desde el subte a los dinteles
del sueño: el sueño de la enamorada,
el estudiante y el rufián, la tía
soltera, el actor, y aquel del sueño
que sueña que no llegue el otro día,
y las luces corales
de hotel, mercado, teatro, puerto y tren;
incendio negro de los bandoneones
que por el nácar de sus teclas ven
la noche de los graves corazones.

Las torres son un dédalo de guampas
de toros verticales,
patotas curdas de álgidos desvelos
que en altos arrabales
le muerden a la aurora sus pezones.

Oh, ceremonia de mil y una pampas
que en uno y mil subsuelos
se corresponden con los mil y un cielos
de Buenos Aires: muertos muy queridos
de cinco siglos que, en fosforescencia,
rumbo a la nada, van a nuestro lado
a preguntar si son aún de ausencia
y a palpitar cómo será el pasado
de todos los porteños no nacidos.

El Río de la Plata en sus caderas
se afianza, goza y con su semen pardo,
en sábanas de luna,
la preña a la ciudad. Nacen, de a una,
nimbadas de dolor, amor y alcohol,
niñas en cruza de ángel con petardo
que luchan en el alba, como fieras,
para que nunca más regrese el sol.

PHILIPS
MOBILI

Price Waterhouse
MERCEDES-BENZ
DIAZ
DIAZ

MEDICORP
Argentina
Cerrito 836 7º Piso
Tel. 46-1271/1272
Coca-Cola
es así!
Coca-Cola
Coke
ultracomb
ultracomb
ASPIRACIONES
E
ESTACIONE AQUI
SU MENSAJE.
SURREY
Aire acondicionado

Nestlé
IAT

NEC
HEWLETT
PACKARD
EPSON

Las embajadas de Brasil y Francia se destacan por la impronta de su arquitectura. Sobre el fondo, las nuevas líneas del hotel Hyatt y la prolongación de la Avenida 9 de Julio.

The embassies of Brazil nad France stand out because of their unusual architecture. In the background the new architectural lines of the Hyatt Hotel and the extension of the July 9 Avenue.

La Avenida 9 de julio

9 de julio avenue

"La avenida parque 9 de Julio, con sus 140 metros de ancho, está a escala con la magnitud de nuestra urbe máxima y de importancia mundial", expresaba con entusiasmo, en 1937, uno de los padres del proyecto, el jefe de la Oficina Municipal de Urbanización.

No habían faltado los proyectos alternativos ni los detractores que, como Angel Guido, cuestionaban la obra: "La agilidad mental y el buen gusto del porteño ya han dado su opinión crítica lapidaria sobre esta avenida, la más grande del mundo pero también la más fea del mundo".

Sin embargo, fea y grande, la modernidad porteña de la década del '30 recibe con entusiasmo una nueva brecha urbana. En conmemoración del cuarto Centenario de la primera fundación de la ciudad (1536-1936), el Arq. Prebisch, un vanguardista de la arquitectura local, ubicó el Obelisco sobre su traza un año antes del comienzo de los trabajos, en el curioso tridente porteño que articulaba las diagonales y la mítica calle Corrientes recién ensanchada.

La construcción de la avenida es larga y espasmódica. Tras el impulso inicial, los trabajos interrumpidos —y aún hoy inconclusos— se retoman recién en 1968. De acuerdo con el plano trazado por el urbanista francés Bouvard (1909), el Congreso Nacional aprobó, en 1912, un trazado original de 30 metros de anchura, concebido como eje Norte-Sur, complementario del trazado Este-Oeste de la Avenida de Mayo.

El dibujo inicial fue modificado en 1933, transformándose en un "parkway" de 140 metros de ancho que incluía estacionamientos subterráneos, vías de circulación rápida e hileras de árboles "para restablecer el equilibrio con la naturaleza". Pero recién en los años '80 se cumple el objetivo original de unir Retiro y Constitución, la puerta del Norte con la del Sur.

"The Park-9 de Julio Avenue, with its 140 metres width, is on a scale with the magnitude of our maximum city and of worldwide importance," said with enthousiasm in 1937 by one of the originators of the project, the head of the Municipal Urbanization Office. Nor was it short of alternative projects nor of detractors who, like Angel Guido, questioned the project: "The mental agility and the good taste of the porteños have already given their critical and lapidary opinion on this Avenue, the biggest of the world but also the ugliest of the world." However, ugly and great, the porteño modernity of the 1930 decade enthousiastically received a new urban breach. Commemorating the fourth Centennary of the first foundation of the city (1536-1936), Architect Prebisch, a vanguard of local architecture, placed the commemorative Obelisk of the first foundation of the city (1536-1936), on its plan one year before the beginning of the work, in the curious city trident which connected the diagonals and the mythical Corrientes Avenue which had been recently widened.

The initial plan was changed in 1933, transforming it into a parkway 100 metres wide which included underground parking lots, fast circulation streets and rows of trees "to the established equilibrium with nature." But it was not until the 1980s that the original objetive of joining Retiro and Constitución was achieved making it a link between the North and the South.

Sobrecargado de lámparas
naufragas en el cielo.
Te hundes acribillado de ventanas
que decoran tu casco geométrico
con insolubles problemas
de palabras cruzadas...

Joaquín Gómez Bas

El edificio Prourban marca el arranque de la Avenida 9 de Julio, separado del Museo Ferroviario y la Estación Retiro por la Avenida del Libertador.

The Prourban building marks the start of the July 9 Avenue which is separated from the Railway Museum and Retiro station by the Libertador Avenue.

El Kavanagh, la estructura de hormigón más alta en su momento, deja ver las mansardas del Círculo de Armas (ex Palacio Paz) y un sector del edificio de Parques Nacionales. *Páginas siguientes: 74/75:* La Plaza San Martín delimitada por el conjunto monumental que integran las torres de Catalinas Norte, el Kavanagh, el Plaza Hotel y los edificios de Parques Nacionales y del Círculo de Armas. En el centro de la explanada, el Monumento al General San Martín, obra de Louis-Joseph Daumas y Gustav Einrich Eberlein.

The Kavanagh, the highest concrete structure at the time allows a view of the attics of the Arms Circle (formerly Paz Palace) and a sector of the National Parks building. Following pages: 74/75*: San Martin Plaza bordered by the monumental group made up by the Catalinas Norte, Kavanagh, Plaza Hotel towers and the National Parks and Arms Circle buildings. In the centre of the view the Monument to General San Martin, a work by Louis-Joseph Daumas and Gustav Heinrich Eberlein*

Vista panorámica de la Plaza Fuerza Aérea Argentina. En primer plano la Torre de los Ingleses, en el centro el Hotel Sheraton y sus instalaciones recreativas. *Páginas siguientes: 78 arriba.* 1910. Vista panorámica desde la terraza del Plaza Hotel. Se destaca la cúpula vidriada de Au Bon Marché (hoy Galerías Pacífico), el Congreso y el Teatro Colón. *Abajo izquierda:* el mismo encuadre en la actualidad. *Abajo derecha:* La Avenida Santa Fe se ilumina en la noche.

A panoramic view of the Argentine Air Force Plaza. In the foreground the English Tower, in the centre the Sheraton Hotel and its recreation installations. Following pages: 78 *above: 1910. A panoramic view from the terrace of the Plaza Hotel. Outstanding is the glass cupola of Au Bon Marché (nowadays Pacific Galleries), Congress and the Colon Theatre.* Below left: *The same scene nowadays.* Lower right: *The Santa Fe Avenue is illuminated at night.*

Plaza San Martin

San Martin Plaza

"La espaciosidad de este sitio, así como su posición dominante por hallarse en la cima de una colina elevada, le hacen el más indicado en esta ciudad, para un lugar de reunión y recepción pública, cuya falta se siente ya demasiado...", decía *El Mensajero Argentino* en 1825. El paseo recién se comenzará a construir en 1862, juntamente con la estación terminal del FF.CC. San Fernando, pero el bajo y el alto de la barranca —punto de inflexión entre la cuadrícula y las rectas inclinadas del ejido suburbano de la traza fundacional— tuvieron una larga historia.

A comienzos del siglo XVIII funcionaba el Mercado de esclavos y más tarde se asentarán la Plaza de Toros y los Cuarteles de Artillería. En 1812, San Martín organiza allí su Cuerpo de Granaderos.

En el bajo, la terminal de los ferrocarriles articula el territorio del puerto que avanza sobre el río, prenunciado por el muelle de Catalinas (1872) y el Hotel de Inmigrantes (1888-1911). La réplica del Big Ben (1916), donada por la comunidad británica, sustituye la antigua fábrica de gas y centra el conjunto. Es un nudo de transportes que articula la ciudad.

En 1936, el Kavanagh protagoniza la barranca. Es la estructura de hormigón más alta, la casa de rentas más fastuosa y moderna. Su silueta dialoga con la mole académica del Plaza Hotel y la volumetría medievalista del Santísimo Sacramento. Hacia abajo, el Parque Japonés de clima felliniano que será reemplazado por el Hotel Sheraton (1969). Descuajadas de la retícula, se irán sumando las solitarias torres de Catalinas. Frente a ellas, edificios y viejas recovas se reconstruyen con la cosmética del "courtain-wall", sepultando el mundo non-sancto de los antiguos dancing portuarios.

"The spaciousness of this spot, as well as its dominant position from the top of a high hill make it more indicated in this city as a place of public meeting and reception, the lack of which is now felt awfully...," *El Mensajero Argentino* (the Argentine Messenger) said in 1825. The promenade would only begin to be constructed in 1862 together with the terminal station of the San Fernando Railway, but the top and the bottom of the slope —a point of inflection between the square and the straight lines of the suburban buildings of the original plans— had a long history.

Early in the 18th century the slave market operated there and later was moved to the plaza of bulls and the Artillery Barracks. In 1812 San Martin organized his Grenadiers Corps there.

In the lower slope the railways Terminal connected the territory of the port which was advancing on the river, preannounced by the Catalinas Wharf (1872) and the Immigrants Hotel (1888-1911). The replica of Big Ben (1916), donated by the British Community replaced the old Gas Factory and centered the whole spot.

In 1936 the Kavanagh building dominated the slope. It was the highest concrete structure, the most lavish and modern rental building. Its silhouette clashed with the academic mold of the Plaza Hotel and the Mediaeval volumetry of the Blessed Sacrament Church. Lower down the Japanese Park of a Fellini climate which would be replaced by the Sheraton Hotel (1969). Uprooted from the reticle would be added the solitary Catalinas Towers. In front of them building and old sites were reconstructed with the cosmetics of the "curtain-wall"; burying the non-sanctum world of the old port dancing halls.

SHERATON

olivetti
HEWLETT PACKARD
HEWLETT PACKARD

Año 1883. La Dársena Norte, fotografiada por S. Rimathé.
A la derecha: La Fragata Libertad, nave-escuela de la Armada Nacional se recorta sobre las instalaciones ferroportuarias. Más atrás, el edificio Alas abre la Avenida Córdoba.

Year 1883. The Northern Basin photographed by S. Rimathé. On the right: *The Libertad Frigate, a Naval School of the National Navy cut out on the railway installations of the port. Further back the Alas building on Cordoba Avenue.*

LOMA NEGRA

Un área de jardines se extiende entre las avenidas Madero y Alem, separando la ciudad de las instalaciones portuarias. La Plaza Colón centra el conjunto y jerarquiza el eje de la Plaza de Mayo. A su lado el edificio Libertador y en último plano, las construcciones del Puerto Nuevo. *A la derecha:* Año 1905. El Paseo de Julio, actualmente Avenida Leandro N. Alem, se vio transformado a lo largo del tiempo. *Abajo:* En la actualidad, el Correo Central y el estadio Luna Park. *Páginas siguientes: 84/85:Arriba:* Año 1910. Visión de conjunto desde el puerto, publicada en el "Censo Municipal del Centenario". *85:* La ciudad a través de las instalaciones portuarias; en primer plano las torres de la central termoeléctrica de Puerto Nuevo.

An area of gardens extends between Madero and Alem Avenues separating the City from the port installations. Colon Plaza centralizes the area and gives prominence to the May Plaza axis. Beside it the Libertador building and in the background the New Port constructions. On the right: *Year 1905. The July Promenade, currently Leandro N. Alem Avenue, has been changed since that time.* Below: *Currently the Central Post Office and the Luna Park stadium.* 84/85: *Year 1910. A joint view from the port published in the Centenary Municipal Census.* 85: *The City from the port installations.*

LUNA PARK

El puerto

The port

Alicia Novick

"Hay que abrirle puertas a la tierra", fue la consigna con la que el fundador de Buenos Aires, Juan de Garay, descendió en 1580 desde Asunción, centro regional de la conquista. Pero el puerto atlántico para la circulación de mercaderías fue frustrado por los comerciantes limeños. En 1595 se cerró y las mercaderías debieron tomar el dificultoso camino terrestre hacia el Perú. Entretanto, un puerto de contrabando funcionó en Buenos Aires hasta fines del siglo XVIII.

Numerosos muelles fueron construidos en los primeros siglos para conducir los barcos por un estuario bajo y de difícil tránsito. Muelles de madera, de piedra, que se extendían desde la costa y se integraban a la ciudad. Desde la Alameda se veían carretas de mercaderías, más allá lavanderas, animales, carros que, como anécdotas minuciosas, se relatan en los grabados.

En 1824 se conciben por primera vez proyectos portuarios sobre terrenos ganados al río. En la década de 1880, tras intensas controversias, se cierra el frente de la ciudad con muelles perpendiculares y una espalda urbana de docks y de depósitos. Años después, el Dock Sud (1902) y el Puerto Nuevo (1925) completan el opaco frente portuario.

El movimiento de pasajeros y mercaderías lo transforma en el centro del país, hacia donde convergen los ferrocarriles. Era lugar de paseos, de encuentros, de despedidas, sinónimo de progreso, trabajo y explotación dramáticamente reflejada por Quinquela Martín.

El paisaje se tecnifica, cada vez circulan menos pasajeros y más mercaderías en asépticos contenedores. Se abren otras estaciones de tránsito: el Aeropuerto y el Aeroparque se inauguran en 1948. En los extremos de Puerto, costaneras y balnearios tratan de recuperar las perspectivas perdidas y, en un extraño proceso, también continúan negando el río. La Ciudad Deportiva y la Reserva Ecológica de la Costanera Sur, los clubes de la Costanera Norte son escollos que alejan las miradas al estuario.

Actualmente la Municipalidad propone desactivar la parte antigua del Puerto y construir viviendas, oficinas, paseos. Otras opiniones solicitan ampliar los espacios verdes para la urbe. Sea cual fuere la solución, debiera recuperar el río para una ciudad que lo olvidó hace tiempo.

"Doors have to be opened to the land," was the ideal with which the founder of Buenos Aires, Juan de Garay, came down in 1580 from Asunción, the regional centre of the Spanish conquest. But the Atlantic port for the circulation of merchandise was frustrated by the merchants from Lima. In 1595 it was closed and the merchandise had to take a difficult land road towards Peru. Meanwhile a smuggling port functioned in Buenos Aires until the end of the 18th century.

Numerous piers were constructed in the early centuries to guide the ships over a low and difficult estuary. Wooden or stone piers that extended from the coast and became integrated with the city. From the tree-lined Avenue merchandise laden carts could be seen, and beyond laundry women, animals, carts which like small anecdotes are related in pictures.

In 1824 for the first time port projects were planned on land recovered from the river. In the 1880 decade after many discussions the entrance to the city was closed with perpendicular wharfs and a backyard of docks and warehouses. Years later the Dock Sud (1902) and the Puerto Nuevo (New Port) (1925), completed the dull port front.

The movement of passengers and merchandise turned it into the centre of the country which attracted all the railways. It was a place of promenades, of meetings, of farewells, a synonym of progress work and exploitation dramatically reflected by painter Quinquela Martin.

The scenery became technified with less passengers and more merchandise circulating in aseptic containers. New transit points were opened: the Airport and the Air Park were inaugurated in 1948. In the extremes of the Port, coastal avenues and beaches tried to recover their lost prospects and, in a strange process, they also continued to reject the river. The Sporting City and the Ecological Reserve in the Southern Coastal Avenue the clubs of the Northern Coastal Avenue were reefs that distracted from the view of the Estuary.

Actually the Municipality proposed to desactivate the old part of the Port and build housings, offices and promenades. Other opinions demanded to increase the green spots for the city. Whatever the outcome it should recover the river for a city that forgot it in years past.

Los millones de inmigrantes que se precipitaron sobre este país en menos de cien años no sólo engendraron esos dos atributos del nuevo argentino que son el resentimiento y la tristeza, sino que prepararon el advenimiento del fenómeno más original del Plata: el tango.

Este baile ha sido sucesivamente reprobado, ensalzado, satirizado y analizado.

Pero Enrique Santos Discépolo, su creador máximo, da lo que yo creo la definición más entrañable y exacta: "Es un pensamiento triste que se baila".

Ernesto Sábato

Los inmigrantes

The immigrants

Geno Díaz

Los inmigrantes llegaron de todas partes. Rusos, polacos, alemanes, húngaros y otros judíos de todas las tierras y de ninguna. Galeses, irlandeses, escoceses y demás pueblos de la Inglaterra que se afincaron en la Patagonia de mitológicas gestas, en las pampas, o en las antesalas ministeriales. Turcos, sirios y árabes vocingleros y comerciantes. Armenios melancólicos y griegos príncipes de las golosinas. Checos que se deslomaban trabajando en el hormigonado de edificios. Sicilianos y calabreses maestros de exquisita artesanía en la construcción y ornamentación de carros que competían con los "che" valencianos por el principazgo del mester de carretería. Y los rubios lombardos y piamonteses que desdeñaron la ciudad y arraigaron en la que luego se llamó "Pampa Gringa" y fundaron chacras y roturaron la tierra. Y croatas, serbios, y ávidos marineros genoveses que se establecieron junto al Riachuelo de los Navíos y fundaron la mítica Boca. Y de las Españas llegaron los catalanes que de las piedras hacen panes, y los riojanos hermanos de la vid, y los enjutos sorianos, y los vascos padres de las vaquerías, y los andaluces que hallaron en Buenos Aires una ciudad construída a imagen y semejanza de las de su pago, con grandes patios poblados como en Sevilla, de macetas con plantas, con casas blancas y abiertas, habitadas por el sol y donde se rendía culto a las flores.

The immigrants arrived from all areas. Russians, Poles, Germans, Hungarians, and others, Jews from different lands and from none. Welsh, Irish. Scots, and other people from the British Isles who settled in Patagonia of mythological origins, in the pampas and in the waiting rooms of the ministries. Turks, Syrians, and loud and commercial Arabs. Melancholic Armenians and Greek princes of sweets. Czechs who would bend their backs working in the cementing of buildings. Sycilians and Calabrians, masters of exquisite art in the building and ornamenting of carts which would compete with the Valencian "che" for the princedom of mastering the cartwright's work. And the blond Lombardians and Piedmonteses who despised the city and settled in what later was called the "Gringo Pampa" and founded farms and cultivated the land. And Croats and Serbs and avid Genovese sailors who settled next to the Riachuelo of the Vessels and founded the mythical Boca. And from Spain there arrived the Catalans who from stones made bread and the Riojans brothers of the grape, and the lean Sorians and the Basques parents of the dairies and the Andalusians who found in Buenos Aires a city built in the image and similar to those of their land, with large populated patios as in Seville, of flower pots with plants, with white and open houses inhabited by the sun and where flowers were revered.

Año 1908: En la Dársena Norte, carros, y coches aguardan a los inmigrantes recién llegados. *Páginas siguientes: 88: Arriba izquierda:* Año 1883. Vista del Paseo de Julio con los muelles de pasajeros y de cargas. Al fondo, la Aduana Nueva. *Abajo:* Los diques de Puerto Madero flanqueados por las construcciones ladrilleras que cerraron la ciudad al río, destacándose la Aduana actual y el edificio Libertador. *89:* Primer plano del Correo Central, del diario "La Nación" y el Estadio Luna Park. *90/91:* Sobre la Avenida del Libertador las torres definen distintas etapas de una espectacular escenografía.

Year 1908. In the North Basin, carts and coaches await the recently arrived immigrants. Following pages: 88 *Above: Year 1883. A view of the July Promenade with the passenger and freight moles. In the background the New Customs House. Below: The dykes of Madero Port flanked by the brick buildings that closed the City from the river, the current Customs House and the Liberator building outstanding.* 89: *The Central Post Office, La Nación building and the Luna Park stadium.* 90/91: *On Libertador Avenue the towers define different stages of a spectacular scene.*

LA NACION

SEVEL
NEC

Y Buenos Aires, mi ciudad, arroja / su cubo de sonidos a la fusión del Canto.
Vestida de cemento, calzada de metales, / ya la ciudad me rinde su tango en espiral,
todo lo que abandona su ganga de silencio / para integrar un Canto de Alegría,
todo lo sonador y lo que suena / por la Mujer de plata y el Almirante de oro.
Y yo tengo las riendas en la mano: / yo dirijo esta música de proas,
este rigor que empieza en un Centauro / y acaba en un Navío.

Leopoldo Marechal

Dos vistas de la Plaza Lavalle. Sobre el ángulo derecho, la Sinagoga y el Teatro Nacional Cervantes.

Lavalle Plaza. On the right hand angle the Synagogue and the National Cervantes Theatre.

A la izquierda: La Biblioteca Nacional. *Abajo:* El Teatro Colón, realizado por el arquitecto italiano Francesco Tamburini en 1908. *Páginas siguientes: 96/97.* Año 1890. Imagen del Boulevard Callao hacia el norte. *Abajo:* Contrastes en la edificación de la avenida Callao. *A la derecha:* Callao, superando la Plaza del Congreso, se proyecta en la avenida Entre Ríos. En primer plano la curvatura del pasaje Enrique Santos Discépolo que marca el primer trazado del F.C. Oeste.

On the left: *the National Library.* Below: *the Colon Theatre built by Italian architect Francesco Tamburini in 1908.* Following pages: 96/97: *Year 1890. Image of the Callao Boulevard towards the North.* Below: *Contrast in the buildings of Callao Avenue.* On the right: *Callao, beyond Congress Plaza turns into Entre Rios Avenue. In the foreground the curving of Enrique Santos Discépolo that marks the first tracing of the Western Railway.*

BAUEN

Tres plazas metropolitanas: Vicente López y Planes; Pizzurno, frente al palacio de su nombre, correspondiente al Ministerio de Cultura y Educación; Libertad, con el monumento a Rodríguez Peña. *Páginas siguientes: 100/101.* Año 1841. Cementerio de la Recoleta, litografía de Carlos E. Pellegrini. *A la derecha:* Dicho lugar, junto a la Iglesia del Pilar y el Centro Cultural (ex Asilo de Ancianos) forman, con los jardines que preceden a la Plaza Francia, una isla entre las altas construcciones del barrio Norte.

Three metropolitan plazas: Vicente Lopez y Planes; Pizzurno, in front of the palace of the same name belonging to the Culture and Education Ministry; Libertad, with the monument to Rodriguez Peña. Following pages: 100/101: *Year 1841. The Recoleta Cemetery, lithography of Carlos E. Pellegrini.* On the right: *This place besides the Pillar Church and the Cultural Centre (formerly the Old People Asylum) form, with the gardens in front of France Plaza, an island in the midst of the buildings of the Northern district.*

Recoleta

Recoleta

Remoto punto de llegada de las cabalgatas de los jóvenes porteños en las primeras décadas del siglo XIX, el barrio comenzó a transformarse cuando las residencias aristocráticas tomaron el rumbo del Norte. La Calle Larga de la Recoleta era sede de casas opulentas; la avenida Alvear era el obligado paseo dominical de los carruajes que se dirigían a Palermo y el tranvía que circulaba por la zona cobraba un restrictivo sobreprecio. Pero su transformación fue lenta.

Las fiestas celebradas frente a la Iglesia del Pilar, las romerías, recibían familias decentes durante el día, pero por la noche se hacían presentes "los sujetos de avería" del bajo próximo al río. En el Armenonville, de Tagle y Libertador, se bailaba el tango.

El pórtico neoclásico del cementerio y el jardín a la Alphand con sus grutas, construidos por Alvear en 1885, tienden a elitizar esa zona heterogénea, tarea que completa más tarde la urbanización de parques y barrios aledaños.

En 1970, la feria de los artesanos sobre Plaza Francia recuerda el "Peace and Love" internacional mientras la remodelación del Centro Cultural (1981) desplaza a los ocupantes del asilo. En 1990, los comerciantes de los lujosos restaurantes de Junín —en el antiguo sitio de marmoleros y floristas— cerraron la calle y, entre planteros, extendieron sus mesas bajo las ramas del inmenso gomero.

El cementerio, el esplendor de sus bóvedas y monumentos, forma parte del conjunto y sigue en funcionamiento.

A remote arrival placed for the horse riding of the young porteños in the early decades of the 19th century, the district began to change when the aristocratic residences moved Northwards. The Long Street of the Recoleta became the sight of opulent homes; Alvear Avenue was the obligatory dominical promenade of the carriages heading towards Palermo and trams circulating in the area charged a restricted overprice. But the overall change was slow.

The festivities celebrated in front of the Pillar Church, festivals would receive decent families during the day, but at night would appear "suspicious characters" of the lower regions near the river. In the Armenonville, on the corner of Tagle and Libertador Avenue, the tango was danced. The neo classic entrance of the Cemetery and the garden Alphand with its groves built by Alvear in 1885, attempted to promote that heterogeneous zone, a project that was completed later with the urbanization of parks and other districts.

In 1970 the Artisans Fair on Plaza Francia recalled the Peace and Love International event whilst the remodelling of the Cultural Centre (1981) displaced the occupance of the Asylum. In 1990 tradesmen of the luxurious restaurants of Junín Street —in the old place of marble artisans and florists— closed the street and among plantings extended their tables beneath the branches of the huge rubber tree.

The Cemetery, the splendour of its vaults and monuments, is still a part of the whole and continues to operate.

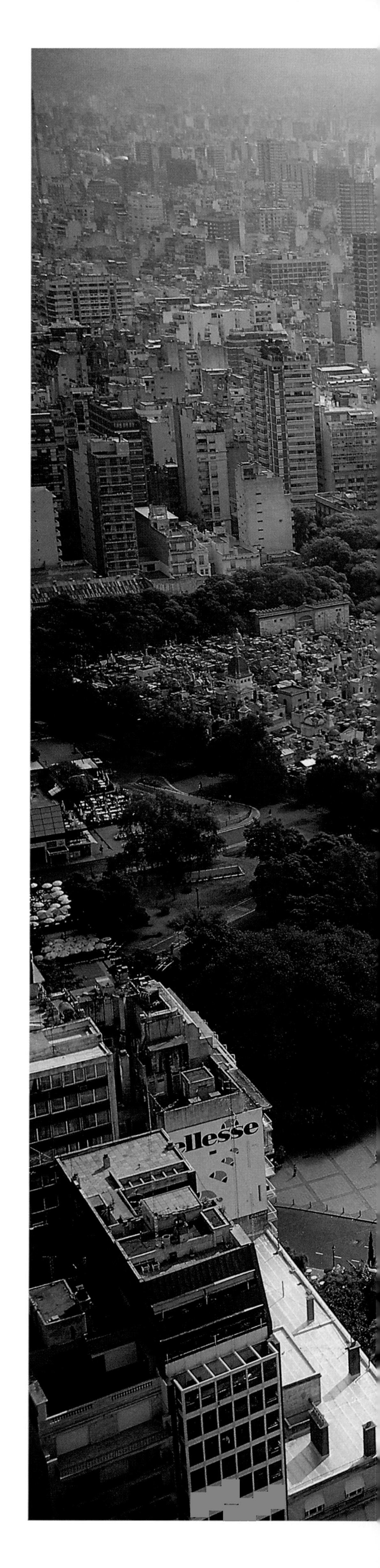

La Facultad de Derecho y en primer plano el Museo Nacional de Bellas Artes. A *la derecha:* El Palais de Glace, hoy Salas Nacionales de Exposiciones. El Monumento a Carlos María de Alvear, obra de Emile-Antoine Bourdelle. Más atrás, el predio del Italpark.

The Law Faculty and in the foreground the Beaux Arts National Museum. On the right: *The Palais de glace, nowadays National Exhibitions Halls. The monument to Carlos Maria de Alvear, a work by Emilie-Antoine Bourdelle. Behind the Italpark games ground.*

Autos Sprint

Proyectado como ciudad-jardín a principios de siglo, hoy es sitio de residencias y embajadas: Palermo Chico. *Páginas siguientes: 106:* La veta porteña del humorismo, a través de un dibujo de Jorge de los Ríos realizado expresamente. *Abajo:* El Planetario Municipal en los Bosques de Palermo. *107:* La figura de Carlos Gardel preside la inconfundible esquina de Figueroa Alcorta y Tagle. *Paginas siguientes: 108/109:* Plaza Francia, monumento al General Alvear. Más atrás, el Centro Cultural, la Iglesia del Pilar y el Cementerio de la Recoleta.

Proposed as a garden city at the beginning of the century, today it is the site of residences and embassies: Palermo Chico. Following pages: 106: *A* porteño *humorous strain through a drawing by Jorge de los Rios made expressly.* Below: *The Municipal Planetarium in the Palermo Woods.* 107: *The figure of Carlos Gardel presides over the unmistakable corner of Figueroa Alcorta and Tagle.* Following pages: 108/109: *France Plaza, monument to General Alvear. Further back the Cultural Centre. The Pillar Church and the Recoleta Cemetery.* .

Una suma de ciudades

An addition of cities

Rubén Kanalenstein

¿Cómo se ve Buenos Aires desde el cielo? Hay geometría y hay violencia, yo mismo me consultaba y me respondía días atrás en el avión. "Como un puñado de piedras arrojado al mar por una mano furiosa o animales en estampida corriendo en mil direcciones", pensó una vez Juan José Saer. Y hay verde y hay río marrón y jardín y expansión y la histeria de tanto paralelismo de calles del Primer Mundo con otras calles del Tercer Mundo, junto a una confusión entre lo público y lo privado, lo religioso y lo profano que protagoniza cada habitante de la ciudad así como los discursos de políticos moralistas, predicadores sociales.

Buenos Aires es una síntesis de tantas ciudades que mirándola desde el cielo, me pregunto si no será tan vasta como el planeta, tan indescifrable como el planeta, tan inabarcable como unos ojos que ni en el amor se cierran.

Buenos Aires, insomne y discreta.

How does one see Buenos Aires from the air? There is geometry and violence, I myself would wonder and answer myself days ago in the airplane. "Like a handful of stone thrown into the sea by a furious hand or animals stampeding in one thousand directions," Juan José Saer commented once. There is green and a brown river and garden and expansion and the hysteria of so many parallel streets of the First World with other streets of the Third World, to other with a confusion between what is public and what is private, what is religious and what is profane as seen by every inhabitant of the city as well as the speeches of moralistic politicians and social preachers.

Buenos Aires is a synthesis of so many cities that seeing it from the sky one wonders if it is not as vast as the planet itself, so indecipherable as the planet, so expansive as eyes that not even close in love.

Buenos Aires, sleepless and discreet.

¡TE DIJE QUE NO ERA
UNA NAVE NUESTRA...
ES EL PLANETARIO
DE BUENOS AIRES !

Seagram's
BLENDERS PRIDE

ellesse

Otros lugares porteños

Other porteño places

"Desde todos los barrios, apretujada en el interior de cien tranvías orquestales, una multitud sonriente y gritona viaja rumbo a la noche..." Así relata Marechal el traslado del sábado hacia el "vértigo de luces y sonidos" del centro que atrae a los habitantes del barrio, aquellos suburbios, coronas urbanas que crecieron espasmódicamente hasta completar las ambiciosas fronteras que se dio la Capital en 1888.

Seguramente nada tienen que ver con las divisiones policiales, censales, municipales, cuyos límites cambiantes son lenguaje burocrático. Tampoco, como alguna vez, se vinculan con las parroquias donde se reunía la misa y se inscribían los nacimientos y las muertes. La población tiene otras imágenes del barrio. La cuadra, los lugares de la compra diaria, la plaza de juegos, espacios más o menos vividos son la realidad de cada porteño aunque los hitos y las constelaciones geográficas cambien con el tiempo.

En la restringida ciudad colonial los edificios públicos eran la referencia. "La Calle Real, a ocho cuadras del Cabildo..." En un contexto impreciso pese a las divisiones establecidas, así se localizaba la población de los altos de San Pedro, de Montserrat, en el Sur; de La Merced, de San Nicolás, del Socorro, en el Norte.

Un siglo después, cuando el tranvía y los trenes permiten asentamientos más lejanos, se generan núcleos alrededor de una estación, una industria o un solitario loteo que inventa manzanas y parcelas sobre un trozo de campo. Primer punto notable, el almacén-esquina, lugar del trago, las cartas y la charla. Más tarde se agregarán nuevas referencias: la escuela, una plaza, un hospital, que intentan constituir un centro.

Los proyectos de centros cívicos del '30 quisieron estructurar esa vastedad ingobernable que poco a poco, con sus asociaciones, clubes y cines, tomaron cierta autonomía excluyendo paulatinamente el Centro de sus tiempos de ocio.

La trama de Buenos Aires, su topografía y su gente impidieron polarizaciones sociales agudas. Si el Norte es sinónimo de "gente bien" —Recoleta, Pilar, Belgrano— y el Sur —Barracas, La Boca, Pompeya— de barrios obreros, una inmensa región de zonas intermedias atenúa los contrastes.

Los barrios adquieren otra dimensión cuando la poesía y la nostalgia los evoca. Al escuchar los versos de Homero Manzi, "barrio de tango, luna y misterio", todas las geografías se diluyen en el aire de los lugares porteños.

"From all the districts, squeezed in the insides of one hundred orchestral tramways, a smiling and shouting multitude journeys towards the night..." Thus does Marechal relate the Saturday trips towards the "vertigo of lights and sounds" of the centre which attract the inhabitants of the districts, those suburbs, urban crowns which grew spasmodically until they completed the frontier ambitions which were given to the Capital in 1888.

Surely they had nothing to do with the police, censure, municipal divisions whose changing boundaries are a bureaucratic language. Neither, as used to happen, are they connected with the parishes where they met for Mass and where births and deaths were registered. The inhabitants have other images of the districts. The block, the scenes of daily shopping, the games plaza, places more or less alive are the reality of every porteño even though the boundaries and geographic constellations change with time.

In the restricted colonial city the public buildings were references. "The Royal Street, eight blocks from the Cabildo..." In an imprecise context despite the established divisions, thus were located the high districts of San Pedro, of Montserrat in the South; of La Merced, San Nicolás, the Socorro in the North.

A century later, when the tramway and the trains allowed reaching much further districts, groupings surrounded a station, and industry or a lonesome lot which produced apples or plots on a country spot. A first notable attraction, the corner grocery, a place for drinks, cards or chatting. Later on new references would be added: a school, a plaza, a hospital which tried to create a centre.

The civic centre projects of the 1930s tried to structure that ungovernable vastness which little by little, with its associations, clubs and movie houses, adopted a certain autonomy slowly excluding the Centres of their times of laziness.

The tracing of Buenos Aires, its topography and its people, avoided sharp social polarizations. If the North is a synonym of "well-to-do-people" —the Recoleta, Pilar, Belgrano— and the South —Barracas, La Boca, Pompeya— of working class people, an immense region of intermediary zones softens the contrasts.

The districts take on another dimension when they are remembered in poetry and nostalgia. When the verses of Homero Manzi are heard, "district of tango, moon and mystery," all geographies are lost in the air of porteño places.

El Estadio del Club Atlético Boca Juniors.

Stadium of the Boca Juniors Athletic Club.

El Puente Nicolás Avellaneda, delante del antiguo transbordador, comunica la Capital con la provincia atravesando el Riachuelo. Sobre el fondo, se elevan los edificios céntricos de Avellaneda.

The Nicolás Avellaneda Bridge, before the old ferry, connecting the Capital with the province across the Riachuelo. In the background are seen the central buildings of Avellaneda.

RIO BRAVO S.A.
T.N. B GARANSINI H.
COOPERATIVA LA UNION

Nací en un barrio donde el lujo fue un albur,
por eso tengo el corazón mirando al sur.
Mi viejo fue una abeja en la colmena,
las manos limpias, el alma buena...
Y en esa infancia la templanza me forjó,
después la vida mil caminos me tendió,
y supe del magnate y del tahúr,
por eso tengo el corazón mirando al sur.

Eladia Blázquez

Mirando al sur, tango

Año 1880. La Vuelta de Rocha, en una foto de S. Rimathé. *Abajo:* En la actualidad, la variedad cromática de la Escuela-Museo Benito Quinquela Martín, antes estudio del pintor. *A la derecha:* Las típicas casas de chapa y en el centro el mítico Caminito, que inspirara el tango de ese nombre a Juan de Dios Filiberto. *Páginas siguientes:* Embarcaciones al Uruguay en Catalinas Sur.

Year 1880. The Rocha Turn, in a photo by S. Rimathé. Below: *Currently the chromatic variety of the Benito Quinquela Martín Museum-School, formerly the studio of the painter.* On the right: *the typical tin houses and in the centre the mythical* Caminito *(Little Road), which inspired the tango of that same name by Juan de Dios Filiberto.* Following pages: *Catalinas Sur the port.*

LA PAMPA
BUQUEBUS

BUQUEBUS
ELADIA ISABEL

En el centro del Paseo Colón, el "Canto al Trabajo", grupo escultórico de Rogelio Yrurtia. En el ángulo inferior derecho, los edificios de la Secretaría de Agricultura y Ganadería, en el centro la Facultad de Ingeniería, detrás la Confederación General del Trabajo.
Páginas siguientes: 120/121: Año 1883. Vista general de la Calle Larga (hoy Montes de Oca) de Barracas. *A la derecha:* Desde la Plaza Constitución se distingue la autopista que bordea Barracas hacia la provincia. Desde el centro hacia el ángulo izquierdo, el trazado de la Avenida Montes de Oca.

In the centre of Paseo Colon the "Work Song", a sculpture group by Rogelio Yrurtia. In the right hand lower angle the buildings of the Agriculture and Livestock Secretariat in the centre of the Engineering Faculty behind the General Labour Confederation.
Following pages: 120/121: *Year 1883. General view of the Long Street (today Montes de Oca Avenue) in Barracas. On the right: From Constitution Plaza can be seen the highway that borders Barracas towards the province. From the centre towards the left hand angle the tracing of Montes de Oca Avenue.*

San Telmo

San Telmo

Muebles, anteojos, clavos, amuletos/ relojes sin agujas y gramófonos/ .../ discos rayados de Gardel, postales,/ cuadros, tijeras, brújulas, braseros (...)/ mates, bombillas, lámparas, floreros/ Color, bullicio. Abigarrado enjambre/ Domingo en la placita de San Telmo. Estos versos de Antonio Requeni resumen las imágenes de la Feria de San Telmo que desde hace algunas décadas enciende la atención sobre el barrio.

Es que Los Altos de San Pedro, barrio de la residencia, y desde 1813 Parroquia de San Pedro González Telmo, es el único sitio de la ciudad que conserva vestigios de siglos anteriores. La esquina de Balcarce y Cochabamba era el límite entre el Bajo y el Alto.

El núcleo del Alto que se centró alrededor del Hueco de la Residencia, más tarde Mercado del Comercio (1861-1900), actualmente feria de antigüedades, era el paso obligado de las mercaderías portuarias. A media cuadra, la Compañía de Jesús elevó su Templo y su Residencia con la pericia de los hermanos arquitectos Prímoli y Blanqui.

En un ámbito de edificios prestigiosos tenían su residencia numerosos apellidos representativos de la sociedad porteña —Liniers, Wilde, Rivadavia, entre otros—, antes de emprender el camino de Catedral al Norte-Socorro-Pilar, sobre el final del siglo XIX.

Las consecuencias de la ordenanza que protege el área (1980) permitieron una primera renovación, que incluyó talleres de artistas, restaurantes de lujo, negocios de antigüedades. Sin embargo, los reciclajes, la feria y los turistas dominicales no acanzan a borrar el heterogéneo paisaje de sus vecinos, sus calles empedradas y sus bajas fachadas.

Furniture, eyeglasses, nails, amulets / clocks without hands and gramophones / ... / records scratched by Gardel, postcards / pictures, scissors, compasses, braziers (...) / mates, small pipes, lamps, flower vases / colour, bustle. Motley swarms / Sundays in the little plaza of San Telmo. These verses by Antonio Requeni, summarize the images of the San Telmo market which for several decades eclipsed attention on the district.

It happens that the San Pedro Heights, a residential district and since 1813 the Parish of San Pedro González Telmo, is the only spot in the city that preserves vestiges of previous centuries. The corner of Balcarce and Cochabamba Streets is the limit between the Higher and the Lower districts.

The nucleus of the Higher district was centered around the vacancy of the Residence, which later became the Commercial Market (1861-1900), and is currently a Fair of antiquities which used to be forcibly the passage of the port merchandise. Half a block further on the Jesuits built their Church and their Residence under the direction of the architectural brothers Prímoli and Blanqui.

In an atmosphere of prestigious buildings many representative surnames of porteño society — Liniers, Wilde, Rivadavia, among others— had their residence before taking the road North of the Cathedral towards the Socorro, Pilar Parishes towards the end of the 19th century.

The consequences of the ordinance which protected the area (1980) opened the way for a first renewal which included workshops of artists, luxury restaurants, shops of antiquities. The recycling, the Fair and the dominical tourists, however, were insufficient to rub out the old views of its neighbours, its paved streets and its low facades.

CCT CCF

Coca-Cola
arlboro
DERBY

La Iglesia de N.S. de Pompeya domina el conjunto religioso sobre la Avenida Sáenz. *A la derecha:* El Puente Uriburu (antes Alsina) marca el pasaje de la Capital al Gran Buenos Aires.
Paginas siguientes: 124/125: Villa Soldati amanece en la bruma invernal. Sobre el margen derecho, la torre del Parque de la Ciudad. *126/127:* Los bloques del complejo urbanístico Lugano I y II. *128:* Las vías ferroviarias atraviesan el barrio de Coghlan, donde los edificios de altura van modificando su carácter residencial. *A la derecha, 129:* El Parque de la Ciudad con su torre de aluminio de 212 metros, la más alta de Sudamérica.

The Church of Our Lady of Pompei dominates the religious grouping on Saenz Avenue. On the right: *Uriburu Bridge (previously Alsina Bridge) marks the passage from the Capital to Greater Buenos Aires.* Following pages: 124/125: *Villa Soldati dawns in wintry mist. On the right margin the tower of the City Park.* 126/127: *The blocks of the urban complex Lugano I and II.* 128: on the left: *the railway lines cross the district of Coghlan where the high buildings are changing its residential character.* On the right: 129: *The City Park with its 212-metre aluminium tower, the highest in South America.*

Una tarde, borracha de tus uvas
amarillas de muerte, Buenos Aires,
que alzas en sol de otoño en las laderas
enfriadas del oeste, en los tramontos,
vi plegarse tu negro Puente Alsina
como un gran bandoneón y a sus compases
danzar tu tango entre haraposas luces
a las barcazas rotas del Riachuelo...

Alfonsina Storni

A la izquierda: La Avenida Avellaneda, al atravesar los barrios de Floresta y Flores. *Abajo:* La Plaza Juan Martín de Pueyrredón, con el monumento al héroe, flanqueado por palos borrachos en flor, frente a la Basílica de San José de Flores. *Páginas siguientes: 132/133:* El Parque Centenario. Al pie la Avenida Díaz Vélez y lejos el Hipódromo de Palermo con su horizonte de Río de la Plata. *134/135:* La Plaza Las Heras (donde se levantaba la Penitenciaría Nacional), hoy mostrando en su vida nocturna momentos de actividades deportivas.

On the left: *The Avellaneda Avenue going through the Floresta and Flores districts.* Below: *The Juan Martin de Pueyrredon Plaza with the monument to the heroe flanked by drunken stems with flowers in front of the St. Joseph Basilica in Flores.* Following pages: 132/133*: The Centenary Park. At the foot the Diaz Velez Avenue and far away the Palermo race track with its horizon in the River Plate.* 134/135: *The Las Heras Plaza (where the National Penitentiary used to be), nowadays showing in its nightlife moments of sporting activity.*

La Avenida Luis María Campos, en la zona residencial de San Benito de Palermo, con su abadía y la embajada de la República Federal de Alemania.

The Luis Maria Campos Avenue in the residential zone of San Benito de Palermo with its Abbey and the Embassy of the German Federal Republic.

Las cúpulas de la iglesia dedicada a San Jorge, en Villa Crespo. *A la derecha:* Las torres de viviendas y el Shopping Alto Palermo se elevan sobre la Avenida Santa Fe que conduce a la Plaza Italia, los jardines Botánico y Zoológico y las instalaciones del predio ferial de la Sociedad Rural Argentina.

The cupolas of the Church dedicated to St. George in Villa Crespo. On the right: *The residential towers and the Alto Palermo shopping centre arise over Santa Fe Avenue which leads to the Italian Plaza, the Botanical and Zoological Gardens and the installations of the festival grounds of the Argentina Rural Society.*

El irregular trazado urbanístico entre la Avenida Las Heras y la Plaza Francia, se organiza alrededor de la rotonda próxima a la embajada de Gran Bretaña y sus amplios jardines.

The irregular urban tracing between the Las Heras Avenue and the France Plaza is organized around the nearby rotonda of the British Embassy and its ample gardens.

Año 1897. Plano de los jardines de Palermo, trazado por Carlos Thays. *A la derecha:* El Rosedal rodea uno de los lagos artificiales próximo al Paseo de la Infanta. En primer plano, instalaciones deportivas del Club Gimnasia y Esgrima.

Year 1897. Plan of the Palermo Gardens developed by Carlos Thays. On the right: *Rose plants surround one of the artificial lakes near the Infanta Promenade. In the foreground, sporting installations of the Gymnasium and Fencing Club.*

Palermo

Palermo

"Sólo en un vasto y apacible parque (la heterogénea población de Buenos Aires) será pueblo, sólo aquí no habrá extranjeros ni nacionales, ni oligarcas ni plebeyos...", afirmaba Sarmiento al inaugurar en 1875 el Parque Tres de Febrero. Conocedor de las realizaciones neoyorquinas de Olmstead y del francés Alphand, el estadista intentaba a través del parque porteño suscitar nuevas relaciones de sociabilidad complementarias a las funciones "higiénicas" que científicamente enunciara desde 1891 la Comisión Municipal de Paseos.

Pero el primer impulso de la zona, que condujo la expansión residencial hacia el Norte, fue el acondicionamiento de los terrenos de Palermo que efectuara Rosas para su residencia (1836-1841). La casona más tarde albergó al Colegio Militar (1870) y la Escuela Naval (1892). Y sus canales y especies exóticas fueron incluidos en el primer proyecto del parque, cuyos límites originales fueron la costa y las actuales calles Ugarteche, Sarmiento y Libertador. Esta última, ex avenida Alvear, pavimentada en 1882, facilitó el tránsito de las familias que desde el centro concurrían a los jardines para "ver y ser vistos".

En 1899 se demuele el caserón, ubicando emblemáticamente en el sitio una estatua de Sarmiento esculpida por Rodin. Enfrente, el Monumento "de los españoles" (1927) jerarquizará la vinculación del parque con el Jardín Zoológico (1890-1910), el Botánico (1898) y el predio de la Sociedad Rural (1910), que se abren sobre la Plaza Italia. Hacia el río, el Planetario y el circuito KDT completan el eje que culmina en la Avenida Costanera.

El Pabellón de Los Lagos (1902), la Confitería del Aguila (1905), el Rosedal (1914) equiparon los paseos, en tanto las actividades deportivas, que se difunden con el siglo, lentamente ocuparon nuevos espacios. A las instituciones de la primera etapa —Gimnasia y Esgrima, Obras Sanitarias— se van incorporando los Clubes de Equitación, el Golf Municipal y el Campo de Polo frente al Hipódromo (1876-1908).

Hacia el Norte, en dirección a la Recoleta, se estableció el exclusivo Barrio Parque y actualmente, sobre las degradadas áreas del Bajo Belgrano, se construye un nuevo barrio residencial que se nutre del influjo del parque.

Entre expansiones y retracciones —las discutidas cesiones de terreno municipal a instituciones privadas—, en las 400 ha. de los bosques y lagos de Palermo se materializan algunos de los democráticos propósitos de Sarmiento. Si bien el parque contribuyó a la "elitización" del Norte de la ciudad y a la valoración de los terrenos aledaños, es difícil diferenciar entre "oligarcas y plebeyos" cuando multitudes en "jogging" corren por el predio.

"Only in a vast and peaceful park (the heterogeneous population of Buenos Aires), shall be a people, here only there shall be no foreigners or nationals, nor oligarchs nor plebeians...," Sarmiento said in 1875 when inaugurating the 3 de Febrero Park. Knowing the New York work in Olmstead and the French work on Alphand, the statesman was trying through the porteño park to raise new relations of sociability complementary to the "hygienic" functions which scientifically would be announced as from 1891 by the Municipal Parks Committee.

But the first impulse in the soul, which led to the residential expansion towards the North, was the adaptation of the lands of Palermo carried out by Rozas for his residence (1836-1841). The house later was the headquarters of the Military School (1870) and the Naval School (1892). And its channels and exotic species were included in the first project of the Park, whose original borders were the coastline and the current streets Ugarteche, Sarmiento and Libertador. The latter, formerly the Alvear Avenue, paved in 1882, made easier the transit of families who from the centre would visit the gardens to "see and be seen."

In 1899 the Manor was demolished where it was placed on the spot where a statue of Sarmiento sculpted by Rodin is situated now. In front of it is the Monument "of the Spaniards" (1927) highlighted because of the connection of the Park with the Zoo (1890-1910), the Botanical Gardens (1898) and the grounds of the Rural Society (1910), which converge on Plaza Italia. Towards the river the Planetary and the KDT circuit complete the axis which converges on the Coastal Avenue.

The Lakes Pavilion (1902), the Aguila (Eagle) Tea Shop (1905), the Rose Garden (1914) equipped the parks while sporting activities developed as the century progressed and slowly occupied new spaces. To the entities of the first stage —Gimnasia y Esgrima, Obras Sanitarias (clubs)— were added the Riding Clubs, the Municipal Golf Club and the Polo Grounds in front of the Race Track (1876, 1908).

In the North, towards the Recoleta, the exclusive Park District was established and on the degraded areas of the Bajo (Lower) Belgrano a new residential district is being constructed which will be nurtured by the influence of the Park.

Between expansions and withdrawls —the controversial granting of Municipal land to private institutions— in the 400 hectares of the Palermo woods and lakes, some of the democratic proposals of Sarmiento took shape. Although the Park contributed to the "elitization" of the North of the city and to the high value of the surrounding land, it is difficult to distinguish between "oligarchs and plebeians" when multitudes in jogging-clad run through the land.

La capital parece fundada en el amanecer del tiempo, todo en ella es hoy nuevo: su realidad, su pretensión; sobre su superficie, el avión y el edificio tienen la misma intacta novedad. La capital tiene algo de adolescente cruel y desdeñosa junto a la senilidad de un río olvidado; desde sus bellas y distintas barrancas del norte a veces vuelve la capital sus ojos al río - éste cambia entonces su verde sucio por el azul acero del atardecer; y la noche consuma el matrimonio de esas llanuras opuestas, la de piedra y la de agua, en la forma de una pujante vibración plana, muy afinada, muy lenta.

Eduardo Mallea

La Avenida del Libertador hacia el Sur, es la localización previlegiada de los altos departamentos modernos. Sobre el ángulo izquierdo, el monumento a Domingo F. Sarmiento, realizado por Augusto Rodin. Sobre el ángulo derecho, un sector del Jardín Zoológico.

The Libertador Avenue towards the South is the privileged location of high modern appartment buildings. On the left angle the monument to Domingo F. Sarmiento, made by Augusto Rodin. On the right hand angle a sector of the Zoo.

El monumento "La Carta Magna y las Cuatro Regiones argentinas", obra de Agustín Querol y Subirats, donado por la colectividad española en oportunidad de la celebración del Centenario de la Independencia, de 1910. Sobre el fondo, el Campo de Polo y el Hipódromo.

The monument to the Constitution and the Four Argentine Regions, a work by Agustin Querol y Subirats donated by the Spanish community on the occasion of the Centenary of the Independence. In the background the Polo field and the Horse Race Track.

El muelle del Club de Pescadores avanza sobre el estuario desde la Costanera Norte. Sobre la izquierda, nuevas construcciones recreativas sobre terrenos ganados al río. *A la derecha:* El perfil pintoresquista del Club de Pescadores. En segundo plano, los hangares del Aeroparque Metropolitano. Detrás de los árboles, las alturas de las construcciones de la Avenida del Libertador.

The mole of the Fishermen's Club advances on the estuary from the Northern Coast Avenue. On the left, new recreational constructions on land recovered from the River. On the right: *The picturesque profile of the fishermen's Club. Further back the hangars of the Metropolitan Air Park. Behind the trees the tops of the constructions of the Libertador Avenue.*

Dos instalaciones deportivas en el barrio de Núñez: el Lawn Tennis Club y el estadio del Club Atlético River Plate. *Páginas siguientes:* La Avenida General Paz fue trazada con sentido estético y ecológico y representa un ejemplo de monumento dinámico. El arquitecto Ernesto Bottiér, sobre un recorrido de 25 kilómetros ubicó más de 40 mil árboles, que representan todas las especies autóctonas del país, de tal manera que adquieren su máxima belleza cuando son apreciados desde un automóvil en velocidad. *A la derecha, 150, arriba:* Año 1941. Previo a la inauguración, el cruce con la Avenida de los Constituyentes. *Abajo:* El mismo sitio en la actualidad; sobre el centro, la vieja estructura del gasómetro. *151: arriba:* La autopista cruza el Estadio del Club Vélez Sarsfield, un día de partido. *Abajo:* El distribuidor hacia la ruta Panamericana.

Two sporting installations in the Nuñez district: the Lawn Tennis Club and the Stadium of the River Plate Athletic Club. Following pages: *The General Paz Avenue was drawn with an aesthetic and ecological sense and represents an example of a dynamic monument. Architect Ernesto Bottier, on a lenght of 25 kilometres placed more than 40,000 trees which represent all the autoctonous species of the country, in such a manner that they adopt their greater beauty when seen from a speeding car.* On the right, above: *Year 1941. Prior to the inauguration the crossing with Constituyentes Avenue.* Below: *The same spot nowadays; in the centre the old structure of the gas metre.* 151: above: *The speedway crosses club Vélez Sarsfield Stadium. Below: The crossway to the Panamerican Route.*

El fútbol era todavía un juego, una actividad libre, una forma de comunicación interhumana cuando, a comienzos de siglo, se lo practicaba en los terrenos baldíos de la Ribera, donde fue introducido por los marineros ingleses, a los que no tardaron en imitar los porteños, hijos de inmigrantes italianos y españoles. Cuando la industrialización transformó al arrabal en zona fabril y la urbanización terminó con los potreros, el fútbol se institucionalizó, y desde entonces lo practican principalmente los jugadores profesionales altamente remunerados...

Juan José Sebrelli

El Gran Buenos Aires

Greater Buenos Aires

La región metropolitana crece desde 1930 hacia el Norte, hacia el Sur y hacia el Oeste, englobando en su marcha antiguos asentamientos urbanos, tierras rurales. En 1930 contaba con la mitad de la población de la Capital, en 1960 la duplica y sigue su ascenso intrépido con más de 7 millones en 1980.

En los orígenes el crecimiento es lento, con barrios de casitas y un tránsito intenso hacia la Capital, cuyas estaciones recibían las legiones de trabajadores. Esta dinámica permanece, pero se constituyen otros centros, otros barrios y otros suburbios, en una ciudad que, mas que extenderse, estalla en todas las direcciones.

Los centros tienen plazas, bancos, comercios, iglesias y municipalidades. Hay barrios altos, de prolijas residencias con jardines, y los hay bajos, de casitas estrechas. Más allá, casillas precarias se instalan en los intersticios del crecimiento. Crecen sobre tierras inundables, en loteos salvajes. En las buenas épocas se amplían y se equipan con un simbólico jardín de entrada que muestra orgulloso la aventura del ascenso; en las otras, cartones y chapas perduran y sólo la Municipalidad y el tiempo pueden rescatarlas del desamparo.

Hay otros lugares en el Gran Buenos Aires: los conjuntos habitacionales sin trama y sin historia, moles idénticas que se plantan con pretensiones de ciudad imponiendo sus alturas a la pampa. A veces se unen a sus vecindades y los árboles y las calles les dan un rostro más humano. También están los "country-clubs" replicando suburbios felices, bastiones de quienes huyen de la urbe buscando los jardines y el silencio de las afueras.

Gran Buenos Aires, ciudad oculta y mundo desconocido, senderos estrechos, vecindades fuertes que los caminos a la Capital ignoran. ¿Quién puede conocerla en su extensión y profundidad?

Since 1930 the metropolitan area grew Northwards, Westwards and Southwards, engulfing in its progress old settlements and rural areas. In 1930 it included half the population of the Capital, in 1960 it duplicated it and its growth followed intrepidly with more than seven million in 1980.

In the beginning the growth was slow with districts of small houses and intense traffic towards the Capital, the stations of which would receive the legions of workers. This dynamic movement still continues but other centres, other districts, other suburbs were set up in a city which not only extended but blew up in all directions.

The centres have plazas, banks, shops, churches and municipal headquarters. There are high districts with neat residences that have gardens, and there are low districts of small tight-fitting houses. Beyond there are precarious huts installed in unbuilt lots. They spread on floodable lands in irregular fashion. As times improve they are expanded and equipped with symbolic gardens at the entrances to express pride in their adventurous advance; in others cardboards and tin plate endure and only municipal authorities and time can save them from helplessness.

There are other places in Greater Buenos Aires. The joint living quarters lacking in pattern and in history, identical moulds that are planted with a pretension of a city imposing their heights on the pampa. Sometimes they join with their neighbours and the trees and the streets give them more human features. There are also the country-clubs reflecting happy suburbs, bastions for those who fly from the city seeking garden and the silence of the outsides.

Greater Buenos Aires, a hidden city and an unknown world, narrow paths, strong neighbourhoods which are unknown to the roads leading to the Capital. Who can know them in their extension and depth?

El Tigre Hotel sobre el Río Luján, símbolo de la "belle époque".

The Tigre Hotel at Lujan River, symbol of the belle époque.

La Estación Ramos Mejía, del Ferrocarril Sarmiento. Detrás, la plaza que organiza esa residencial zona del Gran Buenos Aires.

The Ramos Mejía station of the Sarmiento Railway. Behind, the Plaza that organizes that residential area of Greater Buenos Aires.

En la ciudad de Morón, la Plaza del Libertador General San Martín. Al centro, el monumento al héroe y, frente al Palacio Municipal, el ombú a cuya sombra el poeta Bartolomé Hidalgo improvisaba sus versos. A la izquierda, la Catedral de Nuestra Señora del Buen Viaje.

In the City of Morón the Plaza of Liberator General San Martín. In the centre the monument to the heroe and, in front of the Municipal Palace, the ombú tree under the shade of which poet Bartolomé Hidalgo improvised his verses. On the left, the Cathedral of Our Lady of the Good Journey.

La periferia del Gran Buenos Aires se pierde en la llanura hacia el Oeste. *Abajo:* La urbanización de Las Catonas, cruzada por el río homónimo, se recorta sobre el paisaje concebido por Carlos Thays a principios de este siglo. *A la derecha:* Dique compensador del partido de Moreno, sitio de deportes náuticos. *Páginas siguientes: 158/159:* La ciudad de Avellaneda, la Plaza Colón y su moderna Catedral. Más atrás, los estadios de Racing Club y de Independiente.

The periphery of Greater Buenos Aires is lost in the plains towards the West. Below: *The urbanization of Las Catonas, crossed by the river of the same name, is cut out on the scenery conceived by Carlos Thays at the beginnin of this century.* On the right: *Compensating dyke of the Moreno county, a place of nautical sports.* Following pages: 158/159: *The city of Avellaneda, the Columbus Plaza and its modern Cathedral. Further back the Stadiums of Racing and Independiente Clubs.*

Los "Siete Puentes" y la playa ferroviaria de Avellaneda. *A la derecha:* Panorámicas de la ciudad de Quilmes, al Sur del Gran Buenos Aires. Se destacan las instalaciones y viviendas del establecimiento cervecero y el centro. *Páginas siguientes: 162/163:* La Avenida General Paz separa la Capital Federal del Gran Buenos Aires. Sobre el sector izquierdo, el partido de Vicente López. Al fondo, junto al río, los clubes náuticos Buchardo y CUBA anticipan la Ciudad Universitaria. *164/165:* La Avenida del Libertador forma un tunel verde en la zona de Acassuso y Martínez. *166/167:* Las vías del Ferrocarril Mitre pasan por la zona de Olivos hacia el Tigre.

The "Seven Bridges" and the railway expanse of Avellaneda. On the right: *Panoramic views of the city of Quilmes, South of Greater Buenos Aires. Standing out are the installations and living quarters of the beer establishment.*
Following pages: 162/163: *The General Paz Avenue separates the Federal Capital from Greater Buenos Aires. On the left hand sector the county of Vicente Lopez. In the background, beside the river, the Nautical Buchardo and CUBA Clubs open the way to the University City.* 164/165: *The Liberator Avenue forms a green tunnel in the Acassuso and Martínez areas.* 166/167: *The Mitre Railway crosses the area of Olivos to el Tigre.*

AEROMODELISMO
CHILE 467
CAPITAL
GILERA
REUNOS
UNISYS
BANCO
VELOX
Marlboro

PEPSI

Coca-Cola
Coke

Guía y Almanaque para 1863

Aquí cerca y hace tiempo

Nearby but long ago (San Isidro)

The River Plate - book
Guide-Directory and almanac for 1863 - Buenos Aires
compiled and published by the Editors of The Standard
(M.G. and E.T. Mulhall)

La Catedral de San Isidro. *Páginas siguientes: 170:* Dos visiones de una característica mansión colonial. *171:* Instalaciones náutico-deportivas en la costa norte. *172/173:* En el Boating Club de San Isidro, un brazo artificial permite conciliar las amarras para los barcos con las viviendas. *174/175*: En los alrededores del Hipódromo de San Isidro.

The Cathedral of San Isidro. Following pages: 170: *A colonial house on the river slopes in Acassuso and San Isidro.* 171: *Nautical installations.* 172/173: *In the San Isidro Boating Club an artificial arm allows to conciliate the tying up of the boats with the houses.* 174/175: *In the surroundings of the San Isidro horse race traks.*

Agradablemente situado sobre el costa del Plata, San Isidro se está convirtiendo rápidamente en uno de nuestros suburbios más elegantes. Hace pocos años había estancias con ovejas y ganado, pero ahora todo el partido está formado por chacras. San Isidro fue reducido al formarse el partido de Belgrano. Antes comprendía cuatro leguas cuadradas, estando delimitado de un lado por el río de la Plata, y del otro, por Las Conchas; pero ahora no tiene ni la mitad de extensión: tiene solamente una legua y media. La población del Partido es de aproximadamente 3.000 habitantes, y los productos principales son maíz, trigo alfalfa y hortalizas.

La ciudad de San Isidro es pequeña y dispersa, a una distancia de cinco leguas al norte de Buenos Ayres, y unida a Buenos Ayres por un camino que es talmente inservible en verano por el polvo y en invierno infranqueable por el barro. Las diligencias de San Fernando pasan diariamente por San Isidro. El boleto vale 20 pesos; pero su última hora se acerca rápidamente: los trabajos en el Ferrocarril del Norte están entre Los Olivos e Isidro, y es más que probable que en pocos meses el silbato estridente de la locomotora vaya a molestar la pacífica serenidad de esta ciudad, pequeña y tranquila.

San Isidro tiene un lugar memorable en la historia argentina. El campo de batalla de Caseros donde cayó Rosas y venció Urquiza queda en su immediata cercanía de Santos Lugares, que es un pueblo pequeño e insignificante de 200 habitantes. Esta pequeña ciudad tiene una iglesia y un colegio, pero ninguna apariencia de negocio o comercio.

Pueblo Mitre, que está en proceso de formación, va a ser una linda ciudad cuando esté construida. El solar es de un extranjero emprendedor: el doctor Wineberg, y está lindísimamente ubicado y muy cerca del río. El camino del Ferrocarril del Norte tendrá una estación cerca de la ciudad planeada.

Sobre la calle de San Isidro a San Fernando está la encantadora residencia de un inglés: el señor Brittain, quien ha sembrado una gran cantidad de algodón.

El presidente de la República, general Mitre, reside a veces en San Isidro para el beneficio de su salud, ya que nada supera la salubridad del lugar.

Las quintas y las chacras son cultivadas casi exclusivamente por extranjeros (vascos e italianos), que hacen muy buen negocio al abastecer la ciudad con heno, trigo, maíz y verduras.

En años anteriores existía un lugar en el camino que va de la Ciudad a San Isidro con fama de degollina: una formal banda de salteadores de caminos lo dominaba, y la ruta a Santry en las afueras de Dublin no es nada en comparación al Callejón de Ibáñez cerca de Medrano. Pero los tiempos han cambiado, y los salteadores han desaparecido: esperamos que no vuelvan nunca más.

De acuerdo con la estadística publicada por orden del Gobierno, hay 5 despensas, 24 verdulerías, 3 o 4 salas de billar, una fonda, ningún médico y una escuela nacional en San Isidro. En 1860 se sembraron 155 fanegas de maíz y trigo. ◊

Gracefully located on the coast of the River Plate, San Isidro is rapidly becoming one of our most elegant suburbs. Years ago there were ranches there with sheep and cattle, but now the whole county is made up of farms. San Isidro was reduced when the county of Belgrano was set up. Before it extended for four square leagues, being limited on one side by the River Plate and on the other by Las Conchas; but now it is not even half the extension, it is only one league and a half. The population of the County is of approximately 3,000 inhabitants, and the main products are maize, wheat, alfalfa and vegetables.

The city of San Isidro is small and dispersed, at a distance of five leagues North of Buenos Aires, and united to Buenos Aires by a road that is fully unusable is summer because of the dust and blocked in winter by the mud. The stage coaches from San Fernando pass daily by San Isidro. The ticket cost 20 pesos; but its last days are approaching rapidly: the work on the Northern Railway are currently between Los Olivos and Isidro, and it is more than probable that within a few months the strident whistle of the locomotives will disturb the peace and serenity of this small and tranquil city.

San Isidro has a memorable place in the history of Argentina. The battleground of Caseros where Rosas was defeated by Urquiza is in the nearby town of Santos Lugares, that is a small and insignificant population of 200 inhabitants. This small city has a church and a school, but no appearances of a business or shop. Pueblo Mitre, which is the process of being built, will be a lovely city when it has been constructed. The place is of a determined foreigner: Doctor Wineberg, and it is beautifully located and very near the river. The tracks of the Northern Railway will have a station near the planned city.

On the road from San Isidro to San Fernando is located the charming residence of an Englishman, Mr. Brittain, who has planted a great deal of cotton. The señor Ibáñez has a splendid mansion which overlooks the river.

The President of the Republic, General Mitre, lives at times in San Isidro to benefit his health, as there is nothing better than the healthiness of the place.

The grounds and farms are almost exclusively cultivated by foreigners (Basques and Italians) who do very good business by supplying the city with hay, wheat, maize and vegetables.

In other years there was a place in the road from the City to San Isidro famous as a slaughter place; a formal place for hold ups of roads would name it, and the road from Santry to the outskirts of Dublin is nothing in comparison to the Ibáñez sideway near Medrano. But times have changed and the bandits have disappeared; we hope they never return again.

According to the statistics published on orders from the Government, there are five grocery stores, 24 greengrocers, three or four dance halls, a pub, no doctor and a National School in San Isidro. In 1866 there were 155 fanegas of maize and wheat sown. ◊

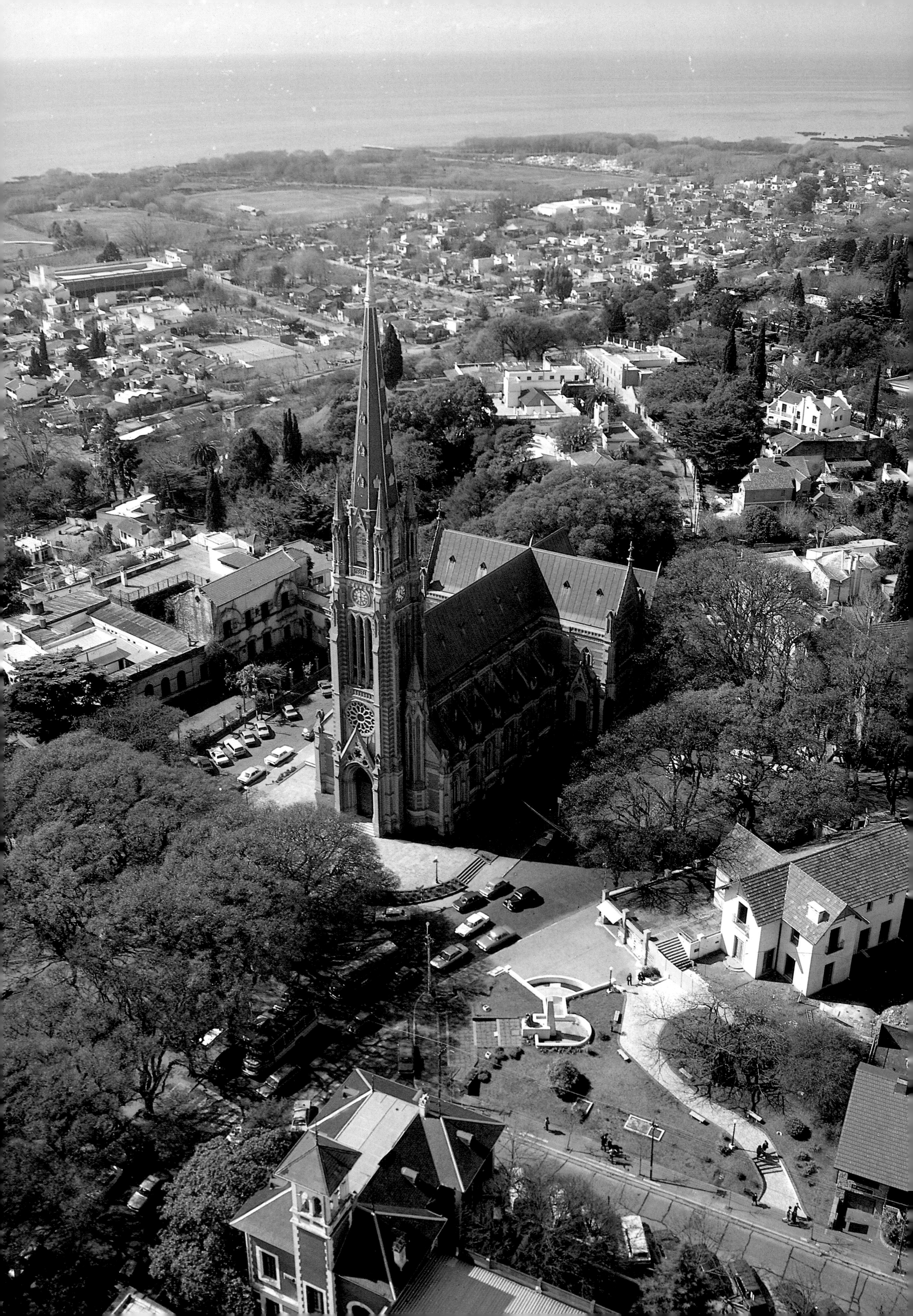

Primer descubrimiento de Buenos Aires desde el cielo

First discovery of Buenos Aires from the sky

Lo sabemos, esta es la penúltima página. Puerta de atrás que cierra el libro con dos vueltas de colofón. Porque así deben guardarse las historias.

Penúltima página, papel en blanco para volcar apuntes que ya algún lector indiscreto espiará sin importarle el orden de los folios.

Confesionario también para recuerdos y reflexiones finales acerca de Buenos Aires navegada por primera vez así, desde el cielo del mar o desde la mar del cielo por Manrique Zago y su tripulación helicóptera. O vista junto a los pequeños sabios emplumados que él encontró ya no sabemos bien si trepando a terrazas o a cornisas. O al asirse de un badajo para dar la hora exacta en que Jack registró tanta imagen.

Nosotros, en cambio, permanecimos mientras tanto viendo pasar aquella nave desde tierra con esos otros peritos en historia, arquitectura, letras, que también dejaron para siempre su saber en estas páginas.

Primer descubrimiento de Buenos Aires desde el cielo, decimos, porque ella ahora fue navegada desde el Este hasta el Oeste y desde el Norte hasta el Sur. Cincuenta veces. Cien. O más veces. Lo que no significa que alguno de los nombres citados recién corresponda al del primer cosmonauta que surcó Buenos Aires.

La historia de ese cosmonauta no quedó registrada en libro alguno. Apenas si se conoce por diez palabras solamente. Además, se ignora su nombre y apellido. Sí pudieron precisarnos la señal primera de su ser.

Aquellos vuelos sobre la ciudad, decíamos, para hacer estas fotos nos parecían cuestión de milagro. Y cuando vimos las fotos, aún más. Un libro terminado es un sueño que se deja leer. O mirar.

Es linda la ciudad. Pero deberemos convencerla de que deje para siempre sus pañoletas de cinc que le opacan su lustre. De qué vale si no toda esa prosapia suya de cúpulas, de torres, de campanarios, de veletas supérstites.

Es linda la ciudad, repetimos. Los veleros anclados en el río parecen gaviotas haciendo la siesta de lo más ordenadas. Las cruces de la pundonorosa Recoleta se ven clavadas como flechas en las cúpulas, lanzadas desde el cielo (con un mensaje prendido, otros podrán agregar). Y los modernos edificios de pie en dos de sus costados están velando a un muerto total: el pasado, y a los que siempre llegan para después de muertos saber, por fin, lo que es vivir en paz.

Cerca de allí, la Facultad de Derecho hace soñar a quien la ve que la justicia existe. De pronto reconocemos otro lugar como si se tratara del mantel de fiesta de la casa de uno, sobre el que tanto hablamos, gritamos, oímos, cantamos, pedimos, celebramos, protestamos, desde el origen hasta el morir lo haremos. Ella también es resumen de Patria: balcón, palmera, paloma, bandera, laurel. "¡Sí, juro!" Y nuestro deber de exigir su cumplimiento. ¡Ah, nuestra Plaza de Mayo!

We know it, this is the penultimate page. A back door which closes a book with two star turns. Because thus should histories be kept.

The penultimate page, white paper for notes which some indiscreet reader will spy without caring for the order of the pages.

A confessional also for recollections and final reflections of Buenos Aires sailing for the first time thus, from the sea sky or from the sky of the sea by Manrique Zago and his hellicopter crew. Or seeing together with the small penned wise men that he found we do not know whether climbing on the roofs or cornices. Or hanging on to a clapper to establish the exact time in which Jack found so much.

We, on the other hand, remained meanwhile seeing the passing of that earth ship with those other experts in history, architecture, writings, that also left for ever their knowledge on these pages.

The first discovery of Buenos Aires from the sky, we say, because now it has been sailed from the East to the West and from the North to the South. Fifty times, one hundred, or more times. Although this does not mean that some of the names mentioned here are the same as that of the first cosmonaut who flew over Buenos Aires.

The story of this cosmonaut was never recorded in any book. It is hardly known from ten mere words. Moreover his name and surname are unknown. If we could have precisely the first sign of his being.

Those flights over the city, as we said, to take these pictures seem to us part of a miracle. And when we saw the pictures themselves, more so. A finished book is a dream that can be read. Or seen.

The city is beautiful, we repeat. The sailing boats anchored in the river seem like gulls taking a siesta in a most ordinary manner. The crosses of the honorable Recoleta Cemetery seemed plunged as arrows on the domes, thrown from the sky (with a message attached, or that others can add). And the modern buildings standing on two of its edges are guarding a total death: the past, and those who always arrived to learn after death what it means to live in peace. Near there the Law School makes whoever sees it dream that justice exists. Finally we see another item as if it were a festive cloth in one's own house, over which we talk, shout, listen, sing, ask, celebrate, protest so much as we shall do from birth until death. It is also a summary of our land: a balcony, a palm tree, a dove, a flag, a laurel, "Yes, I swear!". And our duty to demand that it be carried out. Ah, our Plaza de Mayo!

Our city is nice, isn't it? Also at night, when we think that lights have been lit in the houses but which in reality are ideas that stem from the pictures, or sighs perhaps, or the I love you: because Buenos Aires is like that. And suddenly, always pages ahead I knew dawn, and finding a Mayo Avenue

Apacible atardecer en Dársena Norte desde las alturas de Catalinas.

Quiet afternoon in the North Basin from he heights of the Catalinas towers.

La ciudad en contraluz. Atardecer en el microcentro. *Páginas siguientes: 180:* Vista de Palermo desde el Hipódromo. *181:* Club Náutico en Nuñez. *182:* La Avenida Corrientes cruza la Avenida 9 de Julio. *183:* El Parque 3 de Febrero, sobre el fondo a la izquierda el Planetario.

The city in counter light. Late afternoon in the Micro-centre. Following pages: 180: *Wiew of Palermo from the Hippodrome.* 181: *Nautical Club in Nuñez.* 182: *Corrientes Avenue crosses the 9 de Julio Avenue.* 183: *3 de febrero Park, at the left the Planetarium.*

Es linda la ciudad, ¿verdad? También de noche, cuando creemos que en las casas encendieron las luces pero en verdad son las ideas que brotan en las fotos, o suspiros quizás, o los te quiero: porque así es Buenos Aires. Y de pronto, siempre páginas arriba, un nuevo amanecer, y el encontrarse con una Avenida de Mayo callada aunque siempre deja escuchar su acento exacto: nunca menos de la ce, nunca más de la zeta. En un costado, el Barolo exalta la verticalidad envuelto en su elegante cobertura que parece de azúcar. Y atravesando esta avenida otra más: la 9 de Julio, ejemplo de lo que un ayer quiso demostrar qué era un futuro, hoy con carriles para miles de insectos a motor, así parecen desde aquí, desde el aire. Recorriéndola, cientos y cientos de ventanas y balcones se ven, esos cuadros donde la figura vive y además se asoma curiosa.

Cuánto habría admirado hoy a Buenos Aires el cosmonauta aquel. Tal vez dijera con nosotros que el Riachuelo así no es más que una axila de la ciudad obrera. Que los edificios oficiales son demasiados (para poco), palomares de la burocracia. Que los monumentos se ven como miguitas quedadas de esa forma ostentosa de honrar o de decir gracias en mármol. Que los nuevos rascacielos tan rectos, tan vítreos, tan inmóviles y algunos en grupitos son como alumnos en el patio del colegio previo a rendir examen. Y uno sigue pasando las páginas y de pronto ve un charquito: nada menos que un lago de Palermo, y en seguida imagina en alguno de sus bordes ese pastito hollado luego de una de esas batallas de sábado o domingo a la noche que desata el amor.

Lejos, divisamos donde la ciudad termina. Que a continuación es donde empieza un vientre parecido a lo infinito, en cuyas entrañas yacen hombres, batallas, vegetales, minerales, animalitos de antes, pero que asimismo está gestando el mañana. Sobre su piel está el Gran Buenos Aires que exhiben las fotos.

Y es cierto, ya estamos viendo lo que el libro no muestra. Porque desde el cielo estas cosas no se ven. El tango no se ve. Nuestra tristeza no se ve. Tampoco tantas promesas. Ni el olvido y la traición. Ni el basta. Ni el beso, ni el sí. Ni el adiós.

Después de esta penúltima página será necesario volver a la primera, y de ella en más avanzar otra vez hasta aquí. Quizás todos los días, para conocer realmente cómo es Buenos Aires desde esos altos dominios que atravesó el primer cosmonauta que sobrevoló Buenos Aires. Su cielo... El cielo de Buenos Aires de noche es como una bandera del mundo igualitaria, con todos sus estados libres porque no responden a ningún Poder central que no sea Dios.

Y aquella historia de diez palabras es ésta: "El primer cosmonauta que sobrevoló Buenos Aires fue un Angel". ◊

silenced although letting be heard its exact accent. On one side, the Barolo building exerts its verticality wrapped in its elegant covering which seems to be of sugar. And crossing this avenue, another: the 9 de Julio, an example of what a yesterday wanted to show what would be a future, today with tracks for thousands of motored insects, thus they seem from here, from the air. Along it hundreds and hundreds of windows and balconies are seen, those frames where figures live and also emerge with curiosity.

How much that cosmonaut would have admired Buenos Aires today. Perhaps he would say with us that the Riachuelo thus is more than an axle of a workman's city. That the official buildings are too many (for so little), pigeon houses of bureaucracy. That the monuments are seen as crumbs left in that ostentatious form of honouring or saying thank you in marble. That the new skyscrapers so straight, so glassy, so immobile and some in small groups are like pupils in a school playground before sitting for an exam. And one continues looking through the pages and suddenly sees a puddle: no less than the Palermo lake, and right away imagines of one of its coast that trampled grass after one of those Saturday or Sunday night battles sparked by love.

Far away we see where the city ends. Where beyond rises a wind that looks like the infinite, in whose midst are men, battles, vegetables, minerals, little animals of before, but which are like forging tomorrow. Over its skin is the Greater Buenos Aires seen in pictures.

And it is true, we are already seeing what the book does not show. Because from the sky these things are not seen. The tango is not seen. Our sadness is not seen. Neither so many promises. Nor forgetfulness and treason. Nor the enough. Nor the kiss, nor the yes. Nor the good bye.

After this penultimate page it will be necessary to go back to the first page, and from there advance again up to here. Perhaps every day to know really how Buenos Aires is, those high dominions crossed by the first cosmonaut who flew over Buenos Aires. Its sky... The sky of Buenos Aires at night is like a flag of the world equally, with all its free states because they do not cater to any central Power that is not God.

And that story of ten words, is this: "The first cosmonaut who flew over Buenos Aires was an Angel." ◊

Bibliografía

Bibliography

Arenas Luque, Fermín V.: *Cómo era Buenos Aires;* Editorial Plus Ultra, Buenos Aires, 1979.

Arias, Abelardo: "Introducción porteña", en *Buenos Aires y nosotros;* de varios autores; Municipalidad de la Ciudad de Buenos Aires, 1980.

Ballester, Luis Alberto: *Techos de Buenos Aires*; Ediciones Buenos Aires Secreto, 1972.

Berenguer Carisomo, Arturo: "Viejas salas de espectáculos", en *Avenida de Mayo / Sus 90 años;* de varios autores; Fundación Banco de Boston, Buenos Aires, 185.

Blasco Ibáñez, Vicente: *Argentina y sus grandezas;* La Editorial Española Americana, Madrid, 1940.

Blasi Brambilla, Alberto: *El río*; Ediciones Culturales Argentinas, Buenos Aires, 1975.

Boracchia, Roberto: *Palermo o San Benito de Palermo;* Instituto Amigos del Libro Argentino, Buenos Aires, 1966.

Borges, Jorge Luis: "Tareas y destino de Buenos Aires", en *Páginas de Jorge Luis Borges*; Celtia, Buenos Aires, 1982. (Ver págs. 3 y 44)*.

Borges, Jorge Luis: *Obras completas;* Emecé Editores S.A., Buenos Aires, 1974.

Capdevila, Arturo: *Tierra mía;* Espasa-Calpe Argentina, Buenos Aires, 1951.

Clemente, José Edmundo: "Entonces llegaron las barcas", en *Buenos Aires y nosotros;* da varios autores; Municipalidad de la Ciudad de Buenos Aires, 1980.

Cordero, Héctor Adolfo: *El primitivo Buenos Aires,* Editorial Plus Ultra, Buenos Aires, 1978.

Cruz, Josefina: *Cronistas de Indias;* Ediciones Culturales Argentinas, Buenos Aires, 1970.

del Carril, Bonifacio: *Monumenta iconographica - Paisajes, ciudades, tipos, usos y costumbres de la Argentina: 1536-1860;* Emecé Editores, Buenos Aires, 1964.

Díaz, Geno: *Emigrantes;* Ediciones de Recién Venido, Buenos Aires, 1981. (Ver pág. 86)

Escardó, Florencio: *Geografía de Buenos Aires;* Editorial y Librería Goncourt, Buenos Aires, 1968.

Gómez Bas, Joaquín "Nocturno del rascacielos", en *Buenos Aires y lo suyo;* Editorial Plus Ultra, Buenos Aires, 1976. (Ver pág. 72).

Guía y Almanaque de Buenos Aires para el Año 1863; Editorial The Standard. Tomada del libro *San Isidro, el sueño del capitán,* de Mónica G. Hoss de Le Comte; Fundación Banco de Boston, Buenos Aires, 1991. (Ver pág. 168).

Iglesia, Rafael E.J. - Saburgo, Mario: *La ciudad y sus sitios;* CP 67 Editorial, Buenos Aires, 1988.

Luna, Félix: *Buenos Aires y el país;* Editorial Sudamericana, Buenos Aires, 1982.

Luna, Félix: La Avenida de Mayo en la política argentina", en *Avenida de Mayo / Sus 90 años;* de varios autores; Fundación Banco de Boston, Buenos Aires, 1985.

* *Las páginas indican la ubicación de los textos insertos en este libro.*

Mallea, Eduardo: *Historia de una pasión argentina;* Editorial Sudamericana, Buenos Aires, 1951. (Ver pág. 144).

Marechal, Leopoldo: *Historia de la calle Corrientes;* Municipalidad de la Ciudad de Buenos Aires, 1937.

Marechal, Leopoldo: *El canto de alegría;* Buenos Aires, 1958. (Ver pág. 92).

Martínez Estrada, Ezequiel: *La cabeza de Goliat;* Editorial Nova, Buenos Aires, 1957. (Ver pág. 17).

Molinari, Ricardo Luis: *Buenos Aires 4 siglos;* Tipográfica Editora Argentina S.A., Buenos Aires, 1980.

Mujica Lainez, Manuel: "Don Pedro y Don Juan", en *Buenos Aires y nosotros;* Municipalidad de la Ciudad de Buenos Aires, 1980. (Ver pág. 28).

Ocampo, Victoria: *Testimonios, Novena serie 1971/1974;* Editorial Sur, Buenos Aires, 1975.

Ortiz, Federico: "La arquitectura del Congreso Nacional", en *El Congreso de la Nación Argentina,* de varios autores; Manrique Zago ediciones, Buenos Aires, 1985. (Ver pág. 62).

Peña, José María: "De su gente y sus costumbres", en *Buenos Aires anteayer,* de varios autores; Manrique Zago ediciones, Buenos Aires, 1983.

Planos y fotografías / Concurso Internacional de Anteproyectos Edificio Peugeot; Foreign Building and Investment Company S.A., Buenos Aires, 1961.

Puccia, Enrique Horacio: *Barracas / Su historia y sus tradiciones: 1536-1936;* La República de Barracas, Buenos Aires, 1968.

Revista de Arquitectura, Organo Oficial de la Sociedad Central de Arquitectos y Centro Estudiantes de Arquitectura; Buenos Aires, noviembre de 1932.

Robledo, Pedro: *Puerto mayor de hispanidad;* Ediciones del Alba, Buenos Aires 1992.

Rusiñol, Santiago: *Un viaje al Plata;* V. Prieto y Cía., Madrid, 1911.

Sábato, Ernesto: "Tango, canción de Buenos Aires", en *Obras-Ensayos;* Editorial Losada, Buenos Aires, 1970, 1970. (Ver pág. 86).

Salas, Horacio: *La poesía de Buenos Aires;* Pleamar, Buenos Aires, 1968.

Salas, Horacio - Zago, Manrique: *Tango, prosa y poesía de Buenos Aires;* Manrique Zago ediciones, Buenos Aires, 1991.

Sebrelli, Juan José; en *El Fútbol,* de varios autores; Editorial Jorge Alvarez, Buenos Aires, 1967. (Ver pág. 149).

Solsona, Justo - Hunter, Carlos: *La Avenida de Mayo / Un proyecto inconcluso;* Librería Técnica CP67 S.A., Buenos Aires, 1990.

Storni, Alfonsina: "Danzón porteño", en *Obras completas,* Editorial Espasa-Calpe Argentina, Buenos Aires, 1954. (Ver pág. 122).

Varios autores: *Buenos Aires y sus esculturas;* Manrique Zago ediciones, Buenos Aires, 1985.

Varios autores: *La Avenida de Mayo;* Manrique Zago ediciones - Eudeba, Ayuntamiento de Madrid - Municipalidad de la Ciudad de Buenos Aires, 1988.

Villarino, María de: *Memoria de Buenos Aires;* Editorial Sudamericana, Buenos Aires, 1979.

Wilde, José A.: *Buenos Aires desde 70 años atrás;* Eudeba, 1960.

Indice / Index

MEDICORP
Argentina
Cerrito 836 7° Piso
Tel. 46-1271/1272
Coca-Cola
es así!
Coca-Cola
Coke
ultracomb
ultracomb
ASPIRACIONES
E
ESTACIONE AQUI
SU MENSAJE.
SURREY
Aire acondicionado
Yasta

Buenos Aires desde el cielo contó desde la primera idea con el apoyo de la Subsecretaría de Cultura e la Nación a la cual se sumó la Municipalidad de la Ciudad de Buenos Aires a través de su Secretaría de Planeamiento. La colaboración de la Jefatura de la Policía Federal fue decisiva: gracias a su Escuadrón Aéreo pudimos sobrevolar la ciudad en todas sus direcciones, estaciones y horarios. Por su parte el Comando en Jefe del Ejército, mediante el Comando Aéreo de Campo de Mayo, nos permitió completar las tomas del Gran Buenos Aires.
Spot Image - Aeroespacial nos facilitó la foto satelitaria que nos hizo comprender dónde, cómo y el porqué de Buenos Aires.
Un reconocimiento especial a Roberto Conzato por haber aportado saber y entusiasmo a la iniciativa en Buenos Aires y Arzignano. Colaboraron con su asesoramiento e imágenes: el Museo de la Ciudad, el Museo de la Casa de Gobierno, el Museo Histórico, el Museo del Banco de la Nación. El Archivo Gráfico de la Nación por medio de su Departamento Fotográfico nos brindó las reproducciones de las páginas: 30, 42, 45, 47, 83, 86, 88 y 150.
Ignacio Gutiérrez Zaldívar nos ofreció las fotografias de S. Rimathé, muchas de ellas inéditas acerca del Buenos Aires antiguo. A los fotógrafos amigos: Carlos Jorge Goldin, P. Palma Quintana, Pedro Roth y Jorge Salatino agradecemos las visiones aéreasque insertamos. A Jorge Bodourian haber compartido la iniciativa audiovisual de Buenos Aires desde el aire. Horacio Fossati compuso los textos en Buenos Aires y Gabriele Cevinati completó la tarea en la Cedag Fotocomposizione; Giancarlo Carlini, de Alga de Verona, cuidó los aspectos cromáticos de las separaciones de colores aportando sus conocimientos y experiencia. Alberto Loro puso su esmero en el montaje de los pliegos. Luigi Mazzocco dirigió, en Grafiche Cora, las taréas de impresión con verdadero arte gráfico. La Legatoria Verrati de Venecia, cumplió finalmente la encuadernacion de *Buenos Aires desde el cielo.*

Crédito de las fotos: Carlos Jorge Goldin: páginas: 8, 9, 29, 39, 71, 74/75, 78, 103, 108/109, 124/125, 126/127, 153, 156/157, 158/159, 163, 164/165, 169, 170/171, contratapa. P. Palma Quintana: página: 152. Pedro Roth: páginas: 57, 58/59. Jorge Salatino: páginas: 67, 73, 146, 148, 172. Manrique Zago: páginas: 37, 40, 42, 43, 63, 87, 96, 98, 122, 128, 131, 136, 145, 150, 153, 159, 161, 179, 180, 181. Las restantes fotografías fueron realizadas per Agop Jack Tucmanian.

El día 15 de marzo de 1992 se terminó
de imprimir en Arzignano-Vicenza (Italia)
la primera edición de 5.000 ejemplares
de "Buenos Aires desde el cielo"
sobre papel ilustración legítimo Phoenograph
de 170 gramos de la Papelera Schöffler de
Alemania. Se realizaron además 300 ejemplares
especiales con firma de los autores.

Es una realización conjunta de

Manrique Zago ediciones
Buenos Aires - Argentina

y

Edizioni Cora
Arzignano (VI) - Italia

Ejemplar n. ______________